Zu diesem Buch

Nach Lichtenberg nannte Kurt Tucholsky sein Skizzenheft «Sudelbuch»: Skizzen nämlich, nicht Reflexionen hielt dieses Notiz-Bändchen fest; beobachtete Bewegungen, irgendwo – im Café, in der U-Bahn – aufgefangene Redeweisen, die Un-Logik in der Logik der Sprache. So entstanden die «Schnipsel», kleine, formalisierte Sequenzen, die in nuce Denkkategorien fixieren, Verhaltensweisen.

Dieses Bändchen, das erstmals die verstreut publizierten Schnipsel versammelt – und hinzu Sätze oder Zeilen aus Arbeiten Kurt Tucholskys, die nahezu Spruchweisheiten wurden –, führt einen ganz anderen und dennoch denselben Tucholsky vor: spielerisch ins Detail verliebt, von freundlichem Witz, aber voller Skepsis bis ins fragmentarische Detail. Ein Gegen-Poesiealbum, in dem «für jeden etwas» steht, eine Fundgrube für 1000 Bücherwidmungen an Bräute, Schwiegereltern oder dümmliche Vorgesetzte.

Der am 9. Januar 1890 in Berlin geborene Kurt Tucholsky war einer der bedeutendsten deutschen Gesellschaftskritiker und Satiriker im ersten Drittel unseres Jahrhunderts. Er schied am 21. Dezember 1935 in Hindås/Schweden freiwillig aus dem Leben. Tucholsky war unter den Pseudonymen Peter Panter, Theobald Tiger, Ignaz Wrobel und Kaspar Hauser Mitarbeiter der «Schaubühne» und späteren «Weltbühne», die er mit dem späteren Friedens-Nobelpreisträger Carl von Ossietzky zu einem der aggressivsten und wirksamsten publizistischen Instrumente der Weimarer Republik machte. Folgende Werke liegen vor: Als rororo-Taschenbücher «Schloß Gripsholm» (Nr. 4), «Rheinsberg» (Nr. 261), «Ein Pyrenäenbuch» (Nr. 474) und die Auswahlbände «Zwischen Gestern und Morgen» (Nr. 50), «Panter, Tiger & Co.» (Nr. 131), «Politische Briefe» (Nr. 1183), «Politische Justiz» (Nr. 1336), «Politische Texte» (Nr. 1444), «Deutschland, Deutschland über alles» (Nr. 4611) und eine zehnbändige Taschenbuchausgabe der «Gesammelten Werke». Neben einer dreibändigen chronologisch angeordneten Gesamtausgabe, einem Band «Ausgewählte Briefe 1913–1935» und «Briefe an eine Katholikin 1929–1931» erschien eine zweibändige Ausgabe «Ausgewählte Werke», mit der das ideale Tucholsky-Lesebuch vorliegt, sowie «Briefe aus dem Schweigen» (rororo Nr. 5410). «Die Q-Tagebücher», «Gedichte», «Das Kurt Tucholsky-Chanson-Buch» und «Unser ungelebtes Leben. Briefe an Mary»; als Rowohlt Nachttisch-Büchlein erschienen «Schloß Gripsholm», «Wenn die Igel in der Abendstunde», «Rheinsberg» und «Wo kommen die Löcher im Käse her?».

In der Reihe «rowohlts monographien» erschien als Band 31 eine Darstellung Kurt Tucholskys mit Selbstzeugnissen und Bilddokumenten von Klaus-Peter Schulz, die eine ausführliche Bibliographie enthält.

Kurt Tucholsky

Schnipsel

Herausgegeben von
Mary Gerold-Tucholsky
Fritz J. Raddatz

Rowohlt

Die Texte der vorliegenden Ausgabe wurden den im Rowohlt Verlag,
Reinbek bei Hamburg, erschienenen Bänden
Kurt Tucholsky «Gesammelte Werke 1–3» entnommen
Umschlagentwurf Werner Rebhuhn

146.–155. Tausend Februar 1985

Veröffentlicht im Rowohlt Taschenbuch Verlag GmbH,
Reinbek bei Hamburg, November 1973
Copyright © 1973 by Rowohlt Taschenbuch Verlag GmbH,
Reinbek bei Hamburg
Gesetzt aus der Linotype-Aldus-Buchschrift
Gesamtherstellung Clausen & Bosse, Leck
Printed in Germany
580-ISBN 3 499 11669 3

(Zum Mann, der in der Nase bohrt):
«Suchen Sie was bestimmtes?»

Inhalt

Bei den Damen

Liebe ist: Erfüllung, Last und Medizin.

Ich sah sie an, und sie gab den Blick zurück: wir faßten uns mit den Augen bei den Händen.

«Muß denn immer gleich von Liebe die Rede sein?» – Ja.

Schön ist Beisammensein. Die Haut friert nicht. Alles ist leise und gut. Das Herz schlägt ruhig.

Zur Heirat gehören mehr als nur vier nackte Beine ins Bett.

«Sie schläft mit ihm» ist ein gutes Wort. Im Schlaf fließt das Dunkle zusammen. Zwei sind keins.

Die im Bett behält immer recht.

Wie schlafen die Leute –?
    Eine Frau, allein.................... im Pyjama
    Eine Frau, nicht allein .... im Nachthemd
    Ein Mann, allein .... Nachthemd
    Ein Mann, nicht allein .... Pyjama.
So eigentümlich ist es im menschlichen Leben. (Protest auf allen Seiten des Hauses.)

Von der Verliebtheit. Von ihr nichts zu bekommen, ist immer noch hübscher, als mit einer andern zu schlafen.

Mit dem nackten Körper stets den Begriff der Erotik verbinden: das ist ungefähr so intelligent, wie beim Mund stets an Essen zu denken.

Mit dem Mund ißt man nicht nur; man spricht auch mit dem Mund. Durch die nackte Haut atmet man.

Er trug sein Herz in der Hand, und er ruhte nicht, bis sie ihm aus der Hand fraß.

Liebe ist, wenn sie dir die Krümel aus dem Bett macht.

(Aus den Sprüchen des Pfarrers Otto): «Die Frauen sind die Holzwolle in der Glaskiste des Lebens.»

Es ist schön, mit jemand schweigen zu können.

Freundschaft beruht darauf, daß eben nicht alles gesagt wird, nur so ist Beieinandersein möglich. Das ist nicht Lüge, das ist etwas andres.

Wie man auch setzt im Leben,
man tippt doch immer daneben,
wir sitzen mit unsern Gefühlen
meistens zwischen zwei Stühlen –
und was bleibt, ist des Herzens Ironie.

Es wird nach einem happy end
im Film jewöhnlich abjeblendt.
    Man sieht bloß noch in ihre Lippen
    den Helden seinen Schnurrbart stippen –
    da hat sie nu den Schentelmen.
        Na, un denn –?

In der Ehe pflegt gewöhnlich immer einer der Dumme zu sein.
Nur wenn zwei Dumme heiraten –: das kann mitunter gut gehn.

Det schönste an die Liebe is die Liebe selber.

... der erste Mann ist stets ein Unglücksfall.
Die wahre Erkenntnis liegt unbestritten
etwa zwischen dem zweiten und dem dritten.
Dann weißt du. Vom Wissen wird man nicht satt,
aber notdürftig zufrieden mit dem, was man hat.
   Amen.

Ob es das wohl gibt:
ein Mann, der so nett bleibt, so aufmerksam
wie am ersten Tag, wo er einen nahm ...?
Einer, der Freund ist und Mann und Liebhaber; der uns mal neckt,
mal bevatert, der immer neu ist, vor dem man Respekt
hat und der einen liebt ... liebt ... liebt ...
ob es das gibt?
Manchmal denke ich: ja.
Dann sehe ich: nein.
Man fällt immer wieder auf sie herein.

Gebt Ruhe, ihr Guten! Haltet still.
Jahre binden, auch wenn man nicht will.
Das ist schwer: ein Leben zu zwein.
Nur eins ist noch schwerer: einsam sein.

... wer mehr liebt, der muß mehr leiden.

Frau und Mann sind niemals frei.
Stets ist ein Gefühl dabei.
Und die Dummen sind gewöhnlich alle zwei.

Man versteht es selber nicht, wie das möglich ist: erst geliebt, geliebt, mit allen Herzschlägen, und nun gleichgültig wie ein alter
Stuhl.

Wörter verändern langsam ihre Bedeutung. «Warum soll ich ihn
denn nicht heiraten? Man ist doch nicht gleich verheiratet.»

Die Berlinerin ist sachlich und klar. Auch in der Liebe. Geheimnisse hat sie nicht.

Laß die Liebe aus dem Spiel, wenn du liebst!

Sie ließ sich beizeiten von ihm scheiden, weil er Witze um die entscheidende Nuance zu langsam erzählte.

Der englische Schriftsteller William Gerhardi sprach einst: «Wenn eine Frau sagte, sie sei genau wie alle Frauen – die wäre anders.»

Ein Weiser hat behauptet, eine Frau sei überhaupt nie allein – sie stelle sich stets jemand vor, und sei es auch nur einen Spiegel.

Mrs. Atkerson wurde an einem schönen Sommermorgen in den Rocky Mountains von einem wilden Räuber angefallen und etwas vergewaltigt. Sie beschwor ihn, von seinem Vorhaben abzustehen, da man am Sonntag keine Arbeit tun solle. «Wären Sie in die Kirche gegangen, Missis!» entgegnete der Räuber und fuhr fort.

(Nur für Kenner.) Ein baltischer Baron schrieb an seinen Freund einen acht Seiten langen Brief, der handelte nur von der Jagd: von Schnepfen, Hühnern, Hasen und einem Fuchs. Nach der Unterschrift stand ein P. S.: «Habe ganz verjessen, Dir mitzutäilen, daß meine liebe Minna mit äinem Ausländer echappiert ist.» Die liebe Minna war die Frau.

In Wien sollte eine Kindesmörderin hingerichtet werden. Die Exekution verzögerte sich eine halbe Stunde, weil die Beamten den Strick vergessen hatten. Dann war alles aus. «Wie war es?», fragte man sie im Fegefeuer. «Nicht schön», antwortete die arme Seele. «Aber der Henker hat am End so lieb g'schaut!»

Komische Junge sind viel seltener als komische Alte.

Sie sprach so viel, daß ihre Zuhörer davon heiser wurden.

«Wozu noch Lust?/Ich liebe ihn doch!» Da war sie neunzehn Jahre. «Wozu noch Liebe? Sie belustigt mich doch!» Da war er vierzig Jahre. Als sie fünfzig wurden, kam er in die zweite Jugend und liebte, wieder. Sie hatte nie aufgehört, zu lieben.

Die beste Übersetzung für puella publica, die mir bekannt ist, heißt: Vorfreudenmädchen.

Um wie viel stiller ginge es in manchen Familien zu, wenn sich alle Frauen Männer kaufen könnten!

Dieses Mädchen ist höflich-sinnlich.

Der schönste Schmuck für einen weißen Frauenhals ist ein Geizkragen.

Es gibt keinen Erfolg ohne Frauen.

«Frauen», hat jener Franzose gesagt, «inspirieren den Mann zu großen Taten und hindern ihn, sie auszuführen.»

Am Kaiserin-Augusta-Wöchnerinnen-Heim hängt überm Eingang eine Tafel:
KINDERN UND HUNDEN IST DER ZUTRITT UNTERSAGT!

Temperamentvolle Frauen halten sich bedeutend länger, wenn man sie nachts auf den Frigidaire legt; sie bleiben auf diese Weise schmackhaft und bekömmlich in jeder Jahreszeit. Die andauernd gleiche und trockne Atmosphäre konserviert jede Dame von Welt; unser Kühlapparat wird an gesundheitlicher Wirkung von keiner Ehe übertroffen.

Die Herren Männer

Liebe kostet manche Überwindung ...
Männer sind eine komische Erfindung.

Der deutsche Mann
              Mann
                    Mann –
das ist der unverstandene Mann.
Die Frau versteht ja doch nichts, von dem, was ihn quält.
Die Frau ist dazu da, daß sie die Kragen zählt.
Die Frau ist daran schuld, wenn ihm ein Hemdknopf fehlt.
    Und kommt es einmal vor, daß er die Frau betrügt:
    Er ist ein Mann. Und das
                          genügt.

Ein Mann ist stets ein Egoist.
    Sein Motor will auf Touren laufen.
    Die Frau braucht Zeit. Es saust die Fahrt.
    Sie will nicht um die Liebe raufen:
    Haare apart und Bouletten apart.
Doch jener wird gleich handgemein.
Jetzt oder nie ...! Die Hand ans Bein ...

Man möchte immer eine große Lange,
und dann bekommt man eine kleine Dicke –
    C'est la vie –!

So süß ist keine Liebesmelodie,
so frisch kein Bad,
so freundlich keine kleine Brust wie die,
die man nicht hat.

Mit den Mädchen muß man schlafen, wozu sind sie sonst da!

... in jeder Stadt 'ne Braut –!
Die eine für die Seele,
die zweite fürs Gemüt;
die dritte wegen Hoppeldibopp –
auf Nacht, wenns keiner sieht!

Der Kerl versteht nichts von Frauen.
Den feinen Damen bietet er Geld an,
und auf die Huren macht er Gedichte.
Und damit hat er auch noch Erfolg!

Vorlust, Nachlust und nächtliches Zaudern –
es macht so viel Spaß, darüber zu plaudern.

Sachliche Liebe, die du mit ohne Seele blühst;
berliner Knabe, der du dich kaum noch bemühst!
Das Wo ist meistens schwieriger als das Ob –
 Aphrodite mit dem berliner Kopp!
 Aphrodite, schaumgeborne, laß mal sehn,
 wie sie alle, alle mit dir angeln gehn!

Hausbacken schminkt sich selbst das Laster.
Sieh hin – und Illusionen fliehn.
Es gründen noch die Päderaster
‹Verein für Unzucht, Sitz Berlin›.

Was kann der Mensch denn mit sich machen!
Wie er sich anstellt und verrenkt:
Was Neues kann er nicht entfachen.
Es sind doch stets dieselben Sachen ...
 Geschenkt! Geschenkt!

Konjugation in deutscher Sprache
 Ich persönlich liebe
 du liebst irgendwie
 er betätigt sich sexuell
 wir sind erotisch eingestellt

ihr liebt mit am besten
sie leiten die Abteilung: Liebe

... wie das so ist hienieden:
manchmal scheints so, als sei es beschieden
nur pöapö, das irdische Glück.
Immer fehlt dir irgendein Stück.
Hast du Geld, dann hast du nicht Käten;
hast du die Frau, dann fehln dir Moneten –
hast du die Geisha, dann stört dich der Fächer:
bald fehlt uns der Wein, bald fehlt uns der Becher.

... wenn man uns näher kennt,
gibt sich das mit dem happy end.
Wir sind manchmal reizend, auf einer Feier ...
und den Rest des Tages ganz wie Herr Meyer.
Beurteil uns nie nach den besten Stunden.
Und hast du einen Kerl gefunden,
mit dem man einigermaßen auskommen kann:
    dann bleib bei dem eigenen Mann!

Lebst du mit ihr gemeinsam – dann fühlst du dich recht einsam.
Bist du aber alleine – dann frieren dir die Beine.
Lebst du zu zweit? Lebst du allein?
Der Mittelweg wird wohl der richtige sein.

Wir Männer aus Berlin und Neukölln,
wir wissen leider nicht, was wir wölln.
Wir piesacken uns und unsre Fraun;
uns sollten sie mal den Hintern aushaun.
    Bileams Esel, ich und du.
    Gott schenke uns allen die ewige Ruh.
    Amen.

Der olle Mann denkt so zurück:
wat hat er nu von seinen Jlück?
Die Ehe war zum jrößten Teile

vabrühte Milch und Langeweile.
Und darum wird beim happy end
im Film jewöhnlich abjeblendt.

Willst du eine reizende Damenbekanntschaft machen? Vergiß, dich zu rasieren.

Wenn die geliebte Frau mit einem andern Mann flirtet, erscheint sie uns leise lächerlich. Die Steine des Kaleidoskops, das wir so gut kennen, geben ein neues Bild; wir sehn sie zum erstenmal gewissermaßen von der Seite. Eifersucht macht kritisch. Wenn Männer mit einer für sie neuen Frau beschäftigt sind, gilt das natürlich alles nicht.

Von der Eifersucht. Ich sagte zu Germaine: «Heute nacht habe ich von dir geträumt – aber wie!» Sie zog die Stirn kraus. «Alors, tu m'as trompée avec moi!» sagte sie.

Bitter, wenn sie einen Liebhaber gehabt hat, der mit Vornamen so heißt wie du.

Die Liebe der andern ... das ist beinah so lächerlich wie unsre eigne Liebe von vorgestern.

Manche Kritiker haben zu Hause so schreckliche Frauen. Und deshalb haben manche Schauspielerinnen so hohe Gagen.

Die Frauen haben es ja von Zeit zu Zeit auch nicht leicht. Wir Männer aber müssen uns rasieren.

Karlchen ist derartig hinter den Mädchen her! Er hat den Coitus tremens.

Warum kommt nie ein Einsamer zu einer Einsamen? Stolz kriechen wir in unser zuständiges Gehäus, hygienisch, unnahbar, vernünftig.

Eine dauernde Bindung zu einer Frau ist nur möglich, wenn man im Theater über dasselbe lacht. Wenn man gemeinsam schweigen kann. Wenn man gemeinsam trauert. Sonst geht es schief.

Männer sind nie so komisch, als wenn sie rasiert werden oder beim Schneider vorm Spiegel stehn; was an kokettem Magdtum im Manne steckt, kommt sprühend ans Licht. So schön, wie sich jeder Mann beim Friseur vorkommt, möchte ich einmal sonntags sein. Freilich, beim Schneider sind wir nicht eigentlich schön, da sind wir nachdenklich.

Wenn ein Mann weiß, daß die Epoche seiner stärksten Potenz nicht die ausschlaggebendste der Weltgeschichte ist –: das ist schon sehr viel.

Im Banne der Liebe ermüdet man leicht. Die Nerven sind aufs höchste angespannt; die Luft im Raum ist heiß, drückend und schwül mit ü. In solchen Augenblicken erfrischt nichts so sehr wie eine Tasse klarer Nudelbouillon, die Sie aus ‹Lubarschs Suppenwürfel› gewinnen können. Ein Täßchen heißer Brühe bringt Ruhe und Sicherheit, vielleicht das Glück!

Der Mensch

Der Mensch wird auf natürlichem Wege hergestellt, doch empfindet er dies als unnatürlich und spricht nicht gern davon. Er wird gemacht, hingegen nicht gefragt, ob er auch gemacht werden wolle.

Der Mensch zerfällt in zwei Teile:
In einen männlichen, der nicht denken will, und in einen weiblichen, der nicht denken kann. Beide haben sogenannte Gefühle: man ruft diese am sichersten dadurch hervor, daß man gewisse Nervenpunkte des Organismus in Funktion setzt. In diesen Fällen sondern manche Menschen Lyrik ab.

Wenn der Mensch fühlt, daß er nicht mehr hinten hoch kann, wird er fromm und weise; er verzichtet dann auf die sauern Trauben der Welt. Dieses nennt man innere Einkehr. Die verschiednen Altersstufen des Menschen halten einander für verschiedne Rassen: Alte haben gewöhnlich vergessen, daß sie jung gewesen sind, oder sie vergessen, daß sie alt sind, und Junge begreifen nie, daß sie alt werden können.

Um sich auf einen Menschen zu verlassen, tut man gut, sich auf ihn zu setzen; man ist dann wenigstens für diese Zeit sicher, daß er nicht davonläuft. Manche verlassen sich auch auf den Charakter.

Merkwürdig, was dieselben zweitausend Menschen zu gleicher Zeit sein können: unsre tapfern Krieger; Mob; Volksgenossen; verhetzte Kleinbürger. Wie man eine Masse anspricht, so fühlt sie sich.

Die Menschen sind so geartet: Wenn ihnen einer sagt, daß Herr X befördert wurde, so imponiert ihnen das ungeheuer. Wer ihn befördert hat, danach fragen sie gar nicht.

Einen Titel muß der Mensch haben. Ohne Titel ist er nackt und ein gar grauslicher Anblick.

Es ist die tief im Menschen wurzelnde Sucht, äußerlich zu erkennen zu geben, was er erlangt hat. Wenn man es nicht *sieht*, macht ihm das ganze Verdienst keinen Spaß. Was dem einen seine Ehrenlegion, ist dem andern sein Zeughaus – wir wollen uns da nichts vormachen.

Gott gab dem Menschen die Verstopfung und zugleich die heilsame Tamarinde. Und er gab ihnen eine Beschäftigung und zugleich den Titel.

Es geht glatter vonstatten.

... schade, daß man nicht dabeisein kann, wenn die andern über uns sprechen – man bekäme dann einigermaßen die richtige Meinung von sich. Denn niemand glaubt, daß es möglich sei, so unfeierlich, so schnell, so gleichgültig-nichtachtend Etiketten auf Menschenflaschen zu kleben, wie es doch überall geschieht. Auf die andern vielleicht – aber auf uns selber?

Der Wert eines Menschen hängt nicht von seinem Soldbuch ab.

Von dem ausgestreckten Zeigefinger des Kindes: «Ein Onkel!» bis: «Guck mal den da – wahrscheinlich ein süddeutscher Burschenschafter!» ist es ein langer Weg in der Menschenbeobachtung. Nur haben die Babys meist mehr Instinkt als die Erwachsenen.

Hauptpersonen gibt es im Leben des einzelnen nur eine: das ist er selbst. Und keiner will vom andern recht glauben, daß auch der ein Schicksal habe, mit Innenleben, Bandwurm, Liebe und dem ganzen Komfort. Na ja, er hat es, aber so schön wie meins ...

Jeder will als Einzelwesen gewertet und möglichst verehrt werden und läßt unbewußt-bewußt außer acht, daß Millionen neben ihm und um ihn sind, die sich auf genau derselben Ebene bewegen wie er es tut.

Nun liegt das tief im Menschen begründet: ohne Achtung seiner selbst kann er kaum leben, ohne Verachtung eines andern nie.

Weil sich jeder eine Welt macht, in deren Mittelpunkt er selber steht, so verneint er die der andern, deren Weltbild ihn etwa an die Wand klemmen könnte.

Ich habe auf meinem Wege immer wieder Leute angetroffen – Verleger, Frauen, Journalisten, Kaufleute –, die glauben, man sei erledigt, wenn sie einen ignorieren. Sie können sich nicht vorstellen, daß es auch ohne sie gehe. So tief ist der Mensch davon überzeugt, daß er Wert verleihe, daß kein Wert außer ihm sei und daß er fremdes Dasein auslösche, wenn er nicht mehr an ihm teilnimmt. Sie wissen nicht, daß es dreitausendvierhundertundachtundsechzig Daseins-Ebenen gibt, mit eben so vielen Arten von Publikum, so viel Wirkungsmöglichkeiten, viele Leben nebeneinander. (Nicht übereinander.) Und daß man die Menschheit nicht danach einteilen kann, je nach dem sie für oder gegen Herrn Panter ist. Extra Panterum etiam est vita. Auch außerhalb unsrer Sphäre leben andre Leute ein Leben: das ihre.

Es gibt Leute, die wollen lieber einen Stehplatz in der ersten Klasse als einen Sitzplatz in der dritten. Es sind keine sympathischen Leute.

Er war sehr eitel darauf, nicht eitel zu sein.

Dick sein ist keine physiologische Eigenschaft – das ist eine Weltanschauung.

Es gibt Menschen, die sind so rechthaberisch und haben eine solche Fähigkeit, sich alles, was ihnen begegnet, zu ihren Gunsten zurechtzubiegen, daß man versucht ist, sie zu fragen: «Lieber, ist Ihnen noch nie aufgefallen, daß Sie in Ihrem Leben niemals Unrecht hatten, niemals Unrecht –?» Und sie werden hitzig antworten: «Was fällt Ihnen ein! Ich habe überhaupt nur Unrecht –!» So dickköpfig sind manche Leute. Man kann sie leicht und sofort erkennen, denn sie gehören alle demselben Volksstamm an. Es sind die andern.

Du mußt über einen Menschen nichts Böses sagen. Du kannst es ihm antun – das nimmt er nicht so übel. Aber sage es ihm nicht. Er ist in erster Linie eitel – und dann erst schmerzempfindlich.

Einem Menschen, den man nicht kennt, traut man schnell das Böse zu, schneller als das Gute.

... wie sprechen Menschen mit Menschen? Aneinander vorbei.

Menschen sind romantisch. Gegenstände sind es nicht. Die Romantik liegt im Auge des Beschauers.

Auf nichts ist der Mensch so stolz wie auf das, was er selbst gelernt hat – und wenn es auch blanker Unsinn war, er hats doch einmal begriffen, und da ist dann nichts mehr zu machen.

Wenn man nach fünftägiger Bekanntschaft zu einem Menschen sagt: «Sie haben etwa den und den Charakter – also werden Sie wohl das und das Schicksal haben»: das glaubt er nicht. Wenn man ihm aber dasselbe aus der Hand weissagt: das glaubt er.

Er ist ebenso dumm, wie er ehrlich ist. Und er ist der ehrlichste Mensch, den ich jemals gesehen habe.

Der trockne Pedant hat gewöhnlich ein Ideal: den falschen Abenteurer.

Kein Primus hat Phantasie.

Er war so echt, wie Menschen sonst gar nicht sind – denn niemand ist ja ganz und gar sich selbst ähnlich.

Wenn wir einen Menschen, der sich unbeobachtet glaubt, langsam und mühselig-genußvoll in der Nase bohren sehn, so versetzt uns dieser Anblick in eine kribblige, eigentümliche Wut. Man möchte ihm auf die Finger hauen, diesem unerzogenen Rüpel ... nun hör doch schon endlich auf ... na, Gottseidank!

Selber popeln macht fett.

Weil jeder genau so ist, wie er aussieht, und weil wir nur nicht lesen können, was uns die Natur eindeutig auf die Menschengesichter schreibt, so können Augenblicksphotographien erbarmungslos enthüllen, was das Auge nicht so schnell hat wahrnehmen können. Eine Momentaufnahme ist die fixierte Blamage einer unvorsichtigen Bewegung, eines schiefen Lächelns, einer sorgsam versteckten Beobachtung ... Plötzlich ist alles am Tage.

Wenn sich Menschen in historische Gewänder ihres Volkes stecken, dann gibt es zweierlei Möglichkeiten: sie sehen unsagbar lächerlich aus, oder aber das Kostüm hebt das Gesicht der Rasse.

Charakteristisch für einen Menschen ist das, was ihm selbstverständlich ist.

Die Menschheit ist fortgeschritten – der Mensch ist dahin.

Das Grammophon klettert auf die Alm, die Kuh ist ein rein wirtschaftliches Ding geworden, das nur noch mit dem Schweif dem urlaubernder Städter etwas Poesie zuwedelt, die wettergebräunten Seeleute bilden eine Fischereigenossenschaft E. V., und der Krieg ist ein gemischt-wirtschaftliches Unternehmen.

Leben ist aussuchen. Und man suche sich das aus, was einem erreichbar und adäquat ist, und an allem andern gehe man vorüber.

Freunde sind Schicksal, aber nicht zu knapp.
Es spielt sich alles unter zweihundert Menschen ab.

Von Stund an, wo sie dich pudern, bis zum gemieteten Grab
spielt sich alles und alles und alles unter zweihundert Menschen ab.

Mensch, sei diskret! Ein Dummkopf, wer sich spreizt.
Fremder Hunger langweilt. Fremdes Glück reizt.

... von der Wiege bis zum Grab
drückt auch dich, o Mensch, bei allem Streben
(seist du Amme, Kanzler, Redakteur),
drückt auch dich, o Mensch, im ganzen Leben,
nieder, nieder, nieder –
        das Malheur.

Es ist ein Charakteristikum des Maschinenzeitalters, daß die meisten
Menschen glauben, etwas Gutes geleistet zu haben, wenn sie etwas
geleistet haben. Sind die Regeln erfüllt, so sind alle befriedigt. Der
Arzt hat operiert; der Richter hat terminmäßig ein Urteil gefällt; der
Beamte hat das Gesuch geprüft – sie haben das Reglementmäßige getan. Was dabei herauskommt, ist ihnen völlig gleichgültig. «Das ist
nicht mehr meine Sache ...» Da keiner die Gesamtwirkung der kleinen Teilarbeiten übersieht und sie auch gar nicht übersehn will, so
bleibt die Gesamtwirkung nur auf einem haften: auf dem Erleiden-
den. Die andern haben ihre Pflicht getan.

Was immer wieder erschüttert, ist die vollkommene Unbekümmert-
heit der Dinge und Lebewesen – sie fressen einander auf oder um-
klammern einander oder zerstören sich – keine Spur von Mitleid.
Mitleid ist eine menschliche Sache. (Nein, leider nicht genug.)

Wenn wir einmal nicht grausam sind, dann glauben wir gleich, wir
seien gut.

Die Grausamkeit der meisten Menschen ist Phantasielosigkeit und
ihre Brutalität Ignoranz.

Man kann nicht ‹anders› werden – weil man nun einmal so ist. So:
   Zersplittert und hundsgemein böse und geil und niederträchtig

und gut und gutmütig und rachsüchtig und ohnmächtig-feige und schmutzig und klein und erhaben und lächerlich, o so lächerlich!

Wir sind Menschen im Käfig. Mitunter ganz ulkig für die, die vorübergehen. Aber innen –: da sieht das ganz, ganz anders aus.

Gebt den Leuten mehr Schlaf – und sie werden wacher sein, wenn sie wach sind.

Es gibt nämlich eine Geschäftigkeit, die aus der Reizbarkeit kommt, aus dem Unvermögen der unausgeruhten Nerven, nicht zu reagieren; sie müssen reagieren, darin besteht eben ihre Müdigkeit, nicht ruhen zu können. Es muß etwas geschehen. Und da greift dann die Hand zum Telefon.

Der Mensch besteht aus Knochen, Fleisch, Blut, Speichel, Zellen und Eitelkeit.

Wir können nicht einen Sinn stärken, der über den Menschen die Menschlichkeit vergißt.

Wozu führen denn letzten Endes die Erkenntnisse des Geistes, wenn man nicht einmal von den Höhen der Weisheit herunterklettert, ihre Erlebnisse auf das tägliche Leben anwendet und das zu formen versucht nach ihrem Ebenbilde?

Wenn sich der ‹deutsche Mensch› nach diesen Schlachten des Seelenlebens, nach diesen Geißlungen, Aufblähungen, pathetischen Herzenstrillern nicht nach außen dokumentiert, dann ist sein Tun eben das, als was ich es hier schon einmal charakterisiert habe: eine tote Last und ein Gesellschaftsspiel.

Na, was haben Sie denn so für Billetts –?

Zu einem ganz strengen, ganz bösen Mann am Fahrkartenschalter möchte ich immer sagen: «Na, was haben Sie denn so für Billetts –?»

Mitropa, Schlafwagen
In einem richtigen Schlafwagen haben nicht nur die Schaffner Dienst, sondern auch die Fahrgäste.

... ich höre nachts die Lokomotiven pfeifen, sehnsüchtig schreit die Ferne, und ich drehe mich im Bett herum und denke: «Reisen ...»

Wer die Enge seiner Heimat ermessen will, reise. Wer die Enge seiner Zeit ermessen will, studiere Geschichte.

Laß das Steuer los. Trudele durch die Welt. Sie ist so schön: gib dich ihr hin, und sie wird sich dir geben.

Entwirf deinen Reiseplan im großen – und laß dich im einzelnen von der bunten Stunde treiben.
Die größte Sehenswürdigkeit, die es gibt, ist die Welt – sieh sie dir an.

Manchmal fahren zwei Eisenbahnzüge nebeneinander her, in derselben Richtung. Die Insassen des schnellern Zuges machen dann fröhliche Gesichter, sehen genau forschend hinüber, ein ganz klein wenig mitleidig. Die des langsamen Zuges schauen gleichgültig drein oder gucken gleichgültig fort. Schnellere Züge interessieren nicht sehr.

Viele europäische Staaten fordern zur Zeit noch Eintrittsgeld, und das kann ihnen niemand verdenken. Autorität übt man am besten dem Schwachen gegenüber aus – dem, der keinen Fußtritt zurückgibt, wenn der armselige verschuldete Popanz mit dem Wappen fuchtelt.

Was Europa betrifft, so müßte man schon in das Innere von Spanien gehen, um noch etwas zu finden, das vom Eiffelturm, von Loeser & Wolff, von Wembley völlig verschieden ist. Der Rest ist nicht so sehr nach Grenzpfählen wie nach Klassen eingeteilt.

Die Landesfarben wechseln: die Hotel-Hall bleibt.

Die meisten Hotels verkaufen etwas, was sie gar nicht haben: Ruhe.

«Große Welt» kann man nicht kaufen, indem man in einem Hotel ein Diner bezahlt; das ist Aberglaube. Man wird hineingelassen, aber man gehört nicht dazu.

Der dicke Assistenzarzt sagte zu mir: «Es ist doch ein großer Vorteil für mich, fünf Sprachen zu sprechen. Damit kann man überall Hotelportier werden.»

Eine Reisebeschreibung ist in erster Linie für den Beschreiber charakteristisch, nicht für die Reise.

Fruchtbar kann nur sein, wer befruchtet wird. Liebe trägt Früchte, Frauen befruchten, Reisen, Bücher ...

Weinländer sind von Natur demokratischer, vernünftiger, einfacher – wenn der Mann auf der Straße seinen Schoppen Wein zum Frühstück trinken kann, dann hebt der Wein keinen mehr so leicht in eine höhere soziale Schicht.

Die Riviera liegt da und sieht aus.

Man kann in der Provence die Kunstdenkmäler systematisch untersuchen, auf Stilreinheit, Baualter und Grundriß; man kann den Olivenhandel statistisch und tabellarisch darstellen, daß es nur so saust von Zahlen – man kann aber auch in diesem wunderschönen Lande spazieren gehen.

Wie hatte neulich Willibald Krains kleiner Proletarierjunge im Walde der Ferienkolonie gesagt: «Ach Frollein, hier riecht et so scheen – nach jahnischt!» Glück, sagt schon der Weise, ist etwas Negatives.

Wir lagen auf der Wiese und baumelten mit der Seele.

Man sollte jedem Deutschen noch fünfhundert Mark dazugeben, damit er ins Ausland reisen kann. Er würde sich manche Plakatanschauung abgewöhnen, wenn er vorurteilslos genug ist, die Augen aufzumachen.

Und wenn die neue Generation, die nun hinauskommt, nicht die Augen aufzumachen versteht, wenn auch sie sich wieder an den realen Tatsachen Genüge sein läßt oder – umgekehrt – Dinge ins Ausland hineingeheimnist, die nicht drin sind: dann wird das Land erneut an einer Welt vorbeileben und wiederum eines Tages nicht verstehen, daß die Geschichte gegen das Land auch über das Land hinweggeht.

Man kann wohl nicht aus seiner Zeit heraushüpfen, und so sind denn die Menschen meisthin felsenfest davon überzeugt, daß man die Natur immer so angesehen habe, wie sie es tun, daß man sie auch gar nicht anders ansehen könne und daß der ein verstockter Tropf und Modegeck sei, der es auf eine andere Art versuche. Die Erde hält gutwillig still, wenn die Reisenden über sie dahinklettern, und es ist ihr gleichgültig, wie man sie anschaut.

... – es ist ja in den allermeisten Fällen nicht wahr, daß der Reisende, frisch aus der Eisenbahn, mehr zustande bringt als eine Dreiminutenverzückung, die etwa auf demselben Niveau liegt wie die bunten Glasscheiben, die man auf altmodischen Aussichtstürmen antrifft und die dem Abgestumpften die Natur wenigstens einigermaßen erträglich machen sollen.

Volkspoesie kann man nicht übertragen. Man kann sie bestenfalls nachschaffen.

Das sicherste Zeichen dafür, daß mit einem Volksgebrauch etwas nicht in Ordnung ist, sind Lehrer- und Pfarrervereinigungen zu seiner Konservierung.

Niemand tut etwas für den Gebrauch von Tinte, und einen Verein zur Erhaltung des weichen Umlegekragens gibt es nicht. Nur Sachen, die sich nicht von selbst verstehen, werden so hallend betont.

Ich reiste im Traum nach Kottbus und ließ dortselbst meine Handtasche stehen. Jetzt muß ich zurückträumen und sie holen.

Um Leipzig wirkt jeder Hügel wie ein Berg, aber höher wird er davon auch nicht.

In Ascona, wo die Verdrehten wild vorkommen, fragte einst ein Fremder einen Tessinesen, wer denn diese blauen Fresken an der Kirchhofsmauer geschaffen habe. «Ein vegetarischer Maler», sagte der Mann.

Nach Paris kann man keinen Mann allein schicken, meinen schon gar nicht. Die Axt im Haus ...

Die Republik, hat ein witziger Franzose gesagt, war nie so schön wie unter dem Kaiserreich.

Paris ist nie so schön wie in der französischen Provinz.

Andorra

Ewig werde ich mich nach den Frauen dieses Landes zurücksehnen. Welcher Seelenadel! Welcher Zauber! Welches Feuer –! Und welch schöne Staatsangehörigkeit.

Für einen Weißen, der Afrika nicht kennt, haben die Hochzeitsgebräuche eines Negerstammes keinen Sinn – er sieht, aber begreift nichts.

Wenn man einmal aus dem Bürgertum herausgefallen ist, erscheint eine mondäne Bar in Paris sinnlos: alles fällt auseinander, die Frauen riechen nach Verwesung, die Männer wirken wie verkleidet, und eine leere Musik macht ein vertragsmäßig ausbedungnes Geräusch dazu. Ich habe dort nie das Gefühl: wie unsittlich! Sondern ich fühle: welch Anachronismus.

... welchen horror vacui die modernen Stadtväter in allen Ländern haben, sie können keinen leeren Platz sehen. Ein Platz ist aber nur ein Platz, wenn er leer ist – dann erst singt seine Struktur, die beschwingten Linien, die angrenzenden Häuser fangen an zu sprechen. – «Ich bin ein Platz!» sagt der Platz. Heute haben sie überall ‹Anlagen› daraufgesetzt, und nun schweigen die Plätze und sind gar nicht mehr da.

Alles, alles kann man entbehren. Die Literatur: schwer; den Whisky: schon schwerer; Lisa, Musch, Mara, Margot: am schwersten. Aber eines kann unsereiner nicht entbehren: die große Stadt, die abends die Lichter anzündet, die Stadt, wo man sich anonym in seine Bestandteile auflösen kann; wo so viele da sind, daß keiner mehr da ist, und wo zwar nichts wächst, aber wo es gekocht wird, alles miteinander. Schilt mir den Landmann nicht, er ... ich weiß. Aber du, schilt mir die Städte nicht, die Chronometer der Zeit, Wasserstandsanzeiger und Dampfdruckmesser in einem.

Ja, das möchste:
Eine Villa im Grünen mit großer Terrasse, vorn die Ostsee, hinten die Friedrichstraße; mit schöner Aussicht, ländlich mondän, vom Badezimmer ist die Zugspitze zu sehn –

... keine Reise schafft solche Veränderungen wie die Versetzung in eine andre Klasse. Verändere das Budget, und du veränderst das ganze Weltbild.

Schön ist nur, was niemals dein.
Es ist heiter, zu reisen, und schrecklich zu sein.

Manchmal ist es schön, allein zu sein. Manchmal ist es schön, keinem Verein anzugehören. Manchmal ist es schön, vorbeizufahren.

Vom Stationsvorsteher aus gesehn sieht der tägliche Abschied der Reisenden an den Zügen recht stereotyp aus. Von der Krankenschwester aus gesehn hat der Tod ein andres Gesicht als vom Trauernden aus gesehn. Alles, was man regelmäßig und berufsmäßig tut, versteinert. Man sollte auch seine eignen Erlebnisse vom Stationsvorsteher aus sehen können.

Hamburg, wo jede vernünftige Reiseroute aufzuhören hat, weil es die schönste Stadt Deutschlands ist.

Ich habe mich einmal auf dem Bahnhof Friedrichstraße nach einer Reise waschen wollen – sie haben mich nicht grade vereidigt, aber sonst haben sie beinah alles getan, was man nur tun konnte. Auch fand sich dort eine Scheuerfrau, die das Wort ‹Waschraumkarte› fließend aussprach, ohne daß ihr das Gebiß herausfiel. Ein Schalter war da, und es gab rote und grüne Billetts für die Fahrt in die Wasch, und sie wurden geknipst, richtig ... waschen durfte man sich auch. Aber das war eigentlich nur eine leicht überflüssige Formalität. Die Hauptsache ist immer der Waschraumkartenschalterbeamte.

Literatur, Theater und etwas Musik

Nähme man den Zeitungen den Fettdruck –: um wieviel stiller wäre es in der Welt –!

Der Durchschnittsleser erlebt die Welt so, wie sie ihm seine Zeitung vermittels großer und kleiner Schriftgrade ordnet... Der Leser weiß selten, was er liest, und verwechselt das Arrangement mit der Schwere des Ereignisses.

Ereignisse haben manchmal unrecht – die Zeitung hat es nie.

Wesentlich an einer Zeitung ist zunächst und vor allem, was sie bringt, und was sie nicht bringt.

Selbst die Nachrichten, die nicht in der Zeitung stehen, sind erlogen.

In Deutschland wird nicht bestochen. In Deutschland wird beeinflußt. Und was in der Zeitung steht, ist nicht halb so wichtig wie das, was nicht drin steht.

Man muß mindestens vier Zeitungen lesen und eine große englische und eine französische dazu; von draußen sieht das alles ganz anders aus.

Weil die Reproduktion der Wirklichkeit unendlich wichtiger ist als das Geschehnis selbst, so ist die Wirklichkeit seit langem bemüht, sich der Presse vorzuführen, wie sie gern möchte, daß sie aussehe. Der Nachrichtendienst ist das komplizierteste Lügengewebe, das je erfunden worden ist.

Der Chefredakteur einer großen süddeutschen Zeitung hat erklärt, daß sich sein Blatt in der Beurteilung der Krise geirrt habe; doch hoffen die Ärzte, den Kranken durchbringen zu können.

Überschrift eines demokratischen Leitartikels: Jein –!

Die Presse hat nur einen absolut einwandfrei ehrlichen Teil: den Inseratenteil.

Alle Obrigkeit kommt von Gott. Man muß sich nicht gegen das Gegebene auflehnen – das bekommt dem Inseratengeschäft nicht.

«Dies», sagte der Verleger, der seine Zeitung verkaufen wollte, «ist der Maschinensaal ... hier sind die Verlagsräume ... sehen Sie, das ist die Expedition ... hier ist die Anzeigenannahme – und das da, ach Gott: das ist bloß die Redaktion.»

Die Presse wäre viel weniger unausstehlich, wenn sie sich nicht so grauslich wichtig nähme.

Ein schlechter Journalist ist noch kein Philosoph.

Gott schuf Kluge, Dumme, ganz Dumme und Geschäftsführer der SPD-Presse.

Wer auf andre Leute wirken will, der muß erst einmal in ihrer Sprache mit ihnen reden.

Literarische Erfolge beweisen zunächst nicht viel für den Wert eines Werkes. Überschreiten sie aber ein gewisses Maß, so zeigen sie etwas an: nämlich nicht so sehr die Qualität des Buches als den Geisteszustand einer Masse.

Schreib sachlich und schreib dir die Finger krumm:
kein Aas kümmert sich darum.
Aber:
schreibst du einmal zwanzig Zeilen
mit Klatsch – die brauchst du gar nicht zu feilen.
Nenn nur zwei Namen, und es kommen in Haufen
Leser und Leserinnen gelaufen.
«Wie ist das mit Fräulein Meier gewesen?»
Das haben dann alle Leute gelesen.
«Hat Herr Streuselkuchen mit Emma geschlafen?»
Das lesen Portiers, und das lesen Grafen.

Es gibt Schriftsteller, die werden gedruckt, weil sie so bekannt sind:
das sind die freien Schriftsteller. Und es gibt Schriftsteller, die sind
so bekannt, weil sie gedruckt werden: das sind die Redakteure.
 So verschieden ist es im menschlichen Leben.

Es ist so eingeteilt:
die Bescheid wissen, können nicht schreiben, wollen nicht schreiben,
dürfen nicht schreiben. Und die schreiben, wissen bestenfalls etwas
Bescheid.

Neben manchem andern sondern die Menschen auch Gesprochnes
ab. Man muß das nicht gar so wichtig nehmen.

Der Leser hats gut: er kann sich seine Schriftsteller aussuchen.

Es gibt so wenig brauchbare Buch-Kritiken, weil jeder Schriftsteller
fälschlich annimmt, er könne, weil er Schriftsteller ist, auch Kritiken
schreiben.
 Bei den großen Schneidern liegen manchmal Empfehlungen von
Schustern und Hemdenmachern herum. So sehn unsre Buchkritiken
aus.

Versuche einen Roman zu schreiben. Du vermagst es nicht? Dann
versuch es mit einem Theaterstück. Du kannst es nicht? Dann mach

eine Aufstellung der Börsenbaissen in New York. Versuch, versuch alles. Und wenn es gar nichts geworden ist, dann sag, es sei ein Essay.

Mir klopft das Herz nicht schneller: nicht, wenn sie mich zerreißen, nicht, wenn ich sie zerreiße. Es gibt nur zwei eherne Gesetze für die Kritik: die Wahrheit zu respektieren und, von ganz seltenen Fällen abgesehn, das Privatleben des Kritisierten unberührt zu lassen.

Ich für mein Teil bin Schriftsteller. Ich will keine Reiche gründen, ich halte mich von Dingen fern, denen ich nicht gewachsen bin — meiner Literatur bin ich gewachsen. Und die Literatur hat in den sechstausend Jahren Menschheitsgeschichte immer nur eine, nämlich ihre Aufgabe gehabt: Geist in Form von geschriebenen oder gedruckten Zeilen zu verbreiten.

Sprache ist eine Waffe. Haltet sie scharf. Wer schludert, der sei verlacht, für und für. Wer aus Zeitungswörtern und Versammlungsaufsätzen seines dahinlabert, der sei ausgewischt, immerdar.

Gut geschrieben ist gut gedacht. Der Deutsche ist ein ‹Bruder Innerlich› und entschuldigt gern einen ungepflegten Stil mit der Tiefe des Gemüts, aus der es dumpf heraufkocht ... Gott sieht aufs Herz, sagt er dann. Der Künstler sieht auf den Stil.

«Er wußte um die Geheimnisse des Seins ...», solche Wendungen sollte man auf Gummistempel schneiden und dann verbrennen.

Es gibt Sätze, die hat ein anständiger Schriftsteller nicht zu schreiben; wer es doch tut, ist keiner, vergessen sei sein Name, nie behalten sei sein Name. Es sind das nicht nur jene parodistischen Fehler, auf die man so oft stößt; es gibt eine Plattheit der Gesinnung, eine Banalität der Erfindung, eine Warenhaushaftigkeit des Wesens, die drücken sich alle drei zuerst im Stil aus. Form ist Wesen. Schließlich muß es eine Grenze nach unten geben ...

... Nichts ist schwerer, nichts erfordert mehr Arbeit, mehr Kultur, mehr Zucht, als einfache Sätze unvergeßlich zu machen ... Die Worte mit der Wurzel ausgraben: das ist Literatur. Aber es ist gewiß bequemer, einfacher und imposanter, die Worte abzuschneiden und sie auf Draht zu ziehen ...

Prosa ist Mosaikarbeit.

Was man nicht sagen kann, bleibt unerlöst.

Jede Betätigung auf dieser Kugel hat sich eine Wissenschaft als Dach gebaut, darunter ist gut munkeln. Und die Pfaffen aller dieser Wissenschäftchen sind munter am Werke, die deutsche Sprache zu einem Monstrum zu machen; dies Deutsch mit seinen vielen Fremdwörtern klingt, wie wenn einer die Stiefel aus dem Morast zieht: quatsch, quatsch, platsch, quatsch ...

Schreiben ist, wie mir scheint, Kraftüberschuß.

Man soll in seinen besten Stunden schreiben, nicht in seinen schwachen.

Ich habe Erfolg, aber ich habe keinerlei Wirkung.

Es muß einer sehr stark sein, wenn man ihn nicht totschweigen kann.

Wenn man die fein abgewogenen Aufsätze A. H. Schmitzens, Bindings und ihresgleichen liest, hat man immer das Gefühl: Es gibt wirklich nur eine Lösung. Man muß reich heiraten.

Nichts verächtlicher, als wenn Literaten Literaten Literaten nennen.

Dieser Schriftsteller schreibt einen läufigen Stil.

Kunst ist Überschuß.

Kunst will Zeit wie eine saubere Bilanz. Man kann, wenn man Pech hat, Flöhe aus dem Ärmel schütteln; Kunstwerke nicht.

Den Menschen aus der Seele zu schreiben – das könnte eine Aufgabe sein. Aber daß wir den Kunstkaufleuten aus der Seele schreiben – das kann Gott nicht gewollt haben.

Kitsch ist das Echo der Kunst.

Jeder historische Roman vermittelt ein ausgezeichnetes Bild von der Epoche des Verfassers.

Dieser soziologische Ort heißt Wichtigstein a. d. Phrase, aber so blitzen tausend Brillen, so rinnt es aus tausend Exposés, tönt es aus tausend Reden, und das ist ihre Arbeit: Banalitäten aufzupusten wie die Kinderballons. Stich mit der Nadel der Vernunft hinein, und es bleibt ein runzliges Häufchen schlechter Grammatik.

James Joyce hat eine Tür aufgestoßen; ich glaube, daß sie nach Freud nur noch angelehnt war.

Liebigs Fleischextrakt. Man kann es nicht essen. Aber es werden noch viele Suppen damit zubereitet werden.

(Über «Ulysses»)

Wenn du liest: «Dem Dichter Potschappel ist der große Bananen-Preis zuerkannt worden», so frage stets: Wer hat ihm den Preis gegeben? Das allein macht nämlich erst seinen Wert aus.

Es hat zu allen Zeiten eine Sorte Lyrik gegeben, bei der die Frage nach dem Kunstwert eine falsch gestellte Frage ist: ich möchte diese Verse ‹Gebrauchslyrik› nennen.

Die Wirkung soll sofort erfolgen, sie soll unmittelbar sein, ohne Umschweife – die These passiert also nicht die Kunst, sie wird nirgends sublimiert, sondern unmittelbar, in literarischer Maskerade, vorgeführt ... die Verse der Gebrauchslyrik sind gereimtes oder rhythmisches Parteimanifest.

Ein Mitarbeiter dieser Blätter hatte einst einen sonderbaren Traum. Er träumte, daß er sein Abitur noch einmal machen müßte, und das Thema zum deutschen Aufsatz lautete: «Goethe als solcher.»

Die Herren Doyle, Wallace & Co. seien gesegnet für und für, wenn alles schief geht, nehmen wir ihre Werke zur Hand und flüchten uns aus dem sauber parzellierten Alltag in die unkontrollierbaren Länder der Verbrecher-Romantik.

Es gibt allerdings ein Gebiet, in dem es noch toller zugeht als dort: und das ist das Leben.

Kriminalroman im Bett ist schwer. Ein Bett ist doch keine Eisenbahn!

Was mich angeht, so interessieren mich die kümmerlichen Visionen braver Schriftstellerknaben viel weniger als die Wirklichkeit, die einer so beschreibt, daß sie zum Greifen nahe gerückt ist.

Manche Menschen lesen überhaupt keine Bücher, sondern kritisieren sie.

Leser zerfallen in drei Abteilungen: In die Nichtschreibenden; die Schreibenden; die Nichtlesenden. Die erste Kategorie schreibt aus Liebe keine Briefe an den Autor; sie stimmt zu, will ihn aber nicht behelligen. Die zweite Kategorie schreibt: ja oder nein. Die dritte liest den Autor mit einem Auge, und das Gelesene geht ihr zum andern Ohr wieder heraus.

Es gibt Zeiten, wo es für den Schriftsteller, der da wirken will, nicht gut ist zu schreiben. Wo das Geklapper der Schreibmaschine nicht so wichtig ist wie das Tick-Tack des Maschinengewehrs. Doch tackt dieses nur nach, was jene ihm vorgeschrieben hat.

Mitunter laufen einem Romanfiguren über den Weg, die Figur ist da, der Roman muß erst noch geschrieben werden. Hier ist ein Knopf, lassen Sie sich einen Anzug dazu machen.

Die Grenze zwischen: Journalist, Schriftsteller, Dichter und Essayist ist mitunter schwer zu ziehen – darüber kann man streiten. Es ist doch aber wohl eine pfundsdicke Verlogenheit, wenn Literaten dem Literaten zum Vorwurf machen, daß er einer ist. Es gibt schlechte Literaten, verlogene, bestechliche und dumme; es gibt gute und sehr gute – es gibt von allen Sorten. Die Tatsache aber, daß einer Schriftsteller ist, kann man ihm nicht vorwerfen.

Wohin ich komme –: da wird gebaut. Wie soll ich da das Buch meines Lebens schreiben: Was ist und zu welchem Ende studieren wir die Liebe?

Worüber der Autor sich wundert, und noch mehr, worüber er sich nicht wundert – denn nichts ist für den Menschen so bezeichnend wie das, was ihm selbstverständlich erscheint –, worüber er lacht, und worüber er traurig ist, seine scherzhaften und seine pathetischen Bemerkungen, seine Landschaftsschilderungen: diese Dinge enthüllen zunächst einmal ihn selber.

Jeder Bericht, jeder noch so unpersönliche Bericht enthüllt immer zunächst den Schreiber, und in Tropennächten, Schiffskabinen, pariser Tandelmärkten und londoner Elendsquartieren, die man alle durch tausend Brillen sehen kann – auch wenn man keine aufhat –, schreibt man ja immer nur sich selbst.

43

Vorliebe erkaltet, Neigungen schlafen ein, Bücher, mit denen man wie verheiratet war, werden einem schließlich stumpf, reizlos, gleichgültig, und man liebelt mit neuen.

Wenn sie den Nachlaß ordnen, werden sie staunen über die Vielfältigkeit deiner Interessen. Und wissen nicht, daß du jahre-, jahrzehntelang die Bände reihenweise nicht mehr angerührt hast – sie hatten nur dagestanden, wirkungsvolles Relief für Heimfotografien. Oder mehr?

Die Klassen wissen nicht viel voneinander. Der Tag eines englischen Montandrehers, der Tag eines polnischen Rennstallbesitzers ist rasch geschildert. Aber das beiden eigentümliche, so und nicht anders konstruierte Lebensgefühl (eines Besitzlosen und eines ewig Gesicherten) wird entweder nur intuitiv erfaßt oder von einem – fast immer: ehemaligen – Arbeiter oder Grafen authentisch belegt werden. Und die können fast niemals schreiben.

Wann beherrschst du eine fremde Sprache wirklich? Wenn du Kreuzworträtsel in ihr lösen kannst.

Es gibt Auslandskorrespondenten, die wollen die fremden Völker, zu denen man sie geschickt hat, nicht erkennen. Sie wollen sie durchschauen.

Mit der Kunst des Briefschreibens ist es ja ziemlich vorbei. So wie keiner mehr zuhören kann, sondern den andern nur noch als Wand benutzt, gegen die er monologisiert, so schreiben sich die meisten Leute unsrer Zeit Briefe, die schlechter und unordentlicher sind als Geschäftsbriefe, aber ebenso sachlich.

Das deutsche Lesepublikum scheint mit einem großen Wurstkessel verglichen werden zu dürfen. Oben stehen die Köche – das sind die Herren Verleger – und schütten und schütten Würste hinein. Wie lange noch, und der Kessel ist voll.

Wenn in Deutschland einer etwas versiebt hat, dann kneift er hinterher, schreibt aber seine Memoiren, womit er seine gänzliche Unschuld an dem Malheur dartut, die Gegner beschimpfen und fünfzehn Prozent des Ladenpreises einstecken kann.

Es ist sehr schwer, nachzuschmecken, was hier so gut mundet. Es ist, wie wenn einer alte Speisekarten noch einmal nachliest, erhöhte Tätigkeit der Mundspeicheldrüsen ... warum muß man da lachen?

Was denen in ‹Life› und im ‹New Yorker› einfällt –: ach, daß wir das doch hätten! Es ist wohl so: sie kommen in ein lustiges Fegefeuer und wir in einen ernsten und durchaus sachlichen, in den Landesfarben angestrichenen Himmel.

Weil wir grade von ‹Life› reden:

Zu meinem hundertsten Geburtstag wünsche ich mir das Original des Titelblattes, das dort im vorigen April erschienen ist.

Oben, auf dem Gerüst eines Wolkenkratzers, sitzt ein Arbeiter, den sieht man ganz aus der Nähe, ein etwas dreckiger Kerl mit aufgekrempelten Hemdsärmeln, behaarte Arme, nicht rasiert. Unten auf der Straße stehen, winzig, zwei feine Damen und sehen so zum Haus herauf. Und was tut der Mann –? Er zieht sich seine Krawatte grade.

Das Bild trug keine Unterschrift.

Sage mir, was du brauchst, und ich will dir dafür ein Nietzsche-Zitat besorgen. Bei Schopenhauer kann man das nicht ganz so leicht; man kann es gar nicht. Bei Nietzsche ... Für Deutschland und gegen Deutschland; für den Frieden und gegen den Frieden; für die Literatur und gegen die Literatur – was Sie wollen.

Wenn ich nicht Peter Panter wäre, möchte ich Buchumschlag im Malik-Verlag sein. Dieser John Heartfield ist wirklich ein kleines Weltwunder. Was fällt ihm alles ein! Was macht er für bezaubernde Dinge.

Eine allen Deutschen gemeinsame Literatur gibt es nicht. Bei uns liest jeder nur seins.

Es gibt Schriftsteller, die rasen sehr exakt. Sie dichten aus dem Reinen ins Unreine.

Manche Zeitschriften erhalten sich nur durch die Freiabonnenten.

Es ist der grundlegende Irrtum aller Dilettanten, der lyrischen Damen, romantisierenden Lehrer und katholischen Familienblattschreiber: daß, wer ergriffen sei, dadurch schon den Leser ergreife. «Aber ich habe es doch mit Gefühl geschrieben!» Ergriffen zu sein, ist eine Voraussetzung – für ein Kunstwerk bedeutet es allein noch gar nichts.

Der Italiener sieht sich gern malerisch: er stellt sich vorteilhaft in den Ort. Der deutsche Essayist sieht sich gern historisch: er stellt sich vorteilhaft in die Zeit.

Die Lage des deutschen Schriftstellers ist haltlos. Wenn er nicht Glück oder sehr viel Marktgeschick hat oder einen guten Nebenberuf, kann er verhungern. Die Löhne des Schriftstellers sind nicht in gleichem Schritt mit denen andrer Berufe gestiegen; die gestiegenen Unkosten treffen auch ihn.

Ratschläge für einen guten Redner
Hauptsätze. Hauptsätze. Hauptsätze.
   Klare Disposition im Kopf – möglichst wenig auf dem Papier. Tatsachen, oder Appell an das Gefühl. Schleuder oder Harfe. Ein Redner sei kein Lexikon. Das haben die Leute zu Hause. Der Ton einer einzelnen Sprechstimme ermüdet; sprich nie länger als vierzig Minuten. Suche keine Effekte zu erzielen, die nicht in deinem Wesen liegen. Ein Podium ist eine unbarmherzige Sache – da steht der Mensch nackter als im Sonnenbad.
   Merk Otto Brahms Spruch: Wat jestrichen is, kann nich durchfalln.

Wie man in den Souffleurkasten hineinschreibt, schallt es noch lange nicht aus den Schauspielern heraus.

Er besuchte alle Premieren – nicht aus Liebe zur Kunst, sondern um als Erster Nein sagen zu können.

Die Besucher einer berliner Premiere wollen Goethe, plus Dante, plus Brecht, plus Bronnen; die Besucher der 50. Aufführung wollen das Dreimäderlhaus. Nun mach du in Berlin Theater.

Die beste Regie-Anmerkung, die mir bekannt ist, stammt von Curt Goetz. Sie lautet: «Der Darsteller dieser Rolle hüte sich vor Übertreibungen. Herr Kraft ist seines Zeichens nicht jugendlicher Komiker, sondern Ingenieur!»

Was herauskommt, wenn ein Kunstvermittler sagt: «Ich habe mir gedacht ...», ist meist der Erfolg vom vergangenen Jahr, nur etwas plumper.

Die meisten berliner Theater- und Kabarett-Abende gehören dem einen oder dem andern Typus an: jüdische Hochzeit oder münchner Atelierfest.

Das beste Wort über künstlerische Wirkung stammt von S. J. «Erfolg ist Mißverständnis», sagte er.

In der Kunst gibt es nur ein Kriterium: die Gänsehaut. Man hat es, oder man hat es nicht.

Große Kunst macht den Beschauer klein, und der Deutsche hat das nicht sehr gern.

Shaw. So ernst, wie der heiter tut, ist er gar nicht.

Jede Theaterkritik müßte eigentlich so anfangen: «Soundsoviel Prozent der gestrigen Premiereneinnahmen flossen als Pacht in die Tasche des Herrn Direktors Soundso. Er lebt davon.» Das Theater stirbt daran. Diese wahnwitzige Theaterpacht ist wichtiger als jede Dramaturgie. Denn die Pausen zwischen den Fälligkeitsterminen der Hypothekenzinsen werden durch die Stücke ausgefüllt.

Eine leicht verweichlichte Generation junger Leute, die nicht bis zehn boxen kann, stellt auf den Bühnen der großen Städte Kraft dar. Es gibt eine ganze Literatur solcher Stücke, in denen der Wilde Westen, die Maschinen und neuerdings auch das Proletariat dazu herhalten müssen, Vorwand für eine Schaustellung zu sein, die verlogen ist bis in ihre weichen Knochen. Welch trutzig gereckten Arme! hintenüber geworfene Köpfe! So ist die neue Zeit gar nicht. So sieht sie nicht einmal aus. So wird sie nur dargestellt.

Und wenn man von den beiden Grenzfällen des Genialen und des Banalen absieht, so mag es ein moderner Dramatiker nicht leicht haben, zu wirken. Denn die Frage: «Auf wen will ich eigentlich wirken?» – die ist nicht gelöst.

Es ist immer verdächtig, wenn um eine so selbstverständliche Sache, wie es die nachrückende Folge der Geschlechter ist, gar zu viel Lärm geschlagen wird – und der Spektakel täuscht auch nicht. Es kommt ja nicht darauf an, welches Alter die Dramatiker haben ...

Ein berliner Schauspieler hat sich mit sich selbst zusammengeschlossen, um als Kollektiv aufzutreten. Um Tantiemen zu sparen und die ohnehin überflüssigen Autoren abzuschaffen, wird er den Text vom Souffleur beziehn.

Ein Film ... Was kann das schon sein, wenn es die Zensur erlaubt hat!

Der beste Filmtext ist: gar keiner.

Segen des Rundfunks. Die alte Frau Runkelstein pflegte sich abends im Lehnstuhl die Kopfhörer anzuschnallen, die Musik ertönte, und dann schlief sie ein. Wenn das Programm aber zu Ende war, dann wachte sie vor Schreck auf. Und dann ging sie schlafen. Siehe die Überschrift.

Ich denke mir immer, daß doch eigentlich gerade die falschen Leute schreiben. Wir steuerzahlenden Dichter sitzen da, klopfen uns morgens auf den Bauch und liefern abends tarifvertraglich ab: drei Pfund Roman, acht Liter Essays und vier Kilometer geballter Lyrik, wie gehabt. Das ist gewiß sehr schön und für das Wohl der Nation auch unbedingt erforderlich ... Manche von uns können sogar von ihrem Geschriebenen leben: die schreiben aber dann nicht für die Zeitungen, wo man ihnen nicht ganz so viel zahlt wie den Austragefrauen, sondern sie arbeiten fürs Theater – und da liegen die Dinge gleich ganz anders. Da geht der Verdienst nicht in die Tasche eines habsüchtigen Unternehmers, sondern da sind es gleich zwei: der Theaterdirektor, der die Leute, und der Agenturbesitzer, der das Stück vertreibt. Diese rechnen in dunkeln Nächten ihre Unkosten heraus, addieren und subtrahieren, ziehen – sitt! – einen kleinen Schlußstrich und geben dem Dichter, wie er sich auch wehren möge, unweigerlich manchmal den zehnten Teil dessen, was sie verdient haben. (Weil er doch der Dichter ist.) Das, was übrig bleibt, wenn sich der Direktor und der Agent je ein Stück Rittergut gekauft haben, nennt man Tantiemen.

Bei einem französischen Theaterautor, A. Achaume, steht eine herrliche Szene vom Wahnwitz der Maschinenherrschaft. Ein Mann empfängt einen andern. «Bitte, nehmen Sie Platz! Was führt Sie her?» Und bevor der andre zu Wort kommen kann, sagt der erste: «Einen Augenblick mal!» und telefoniert. Und telefoniert und telefoniert ...

Das habe ich auch geschrieben. Aber die Pointe wäre mir nie eingefallen:

Der Besuch steht auf und schickt sich an, zu gehn. «Aber bitte», sagt der Mann mit dem Hörer in der Hand. «Einen Augenblick doch nur ...»

«Nein», sagt der Fremde. «Wissen Sie was? Ich rufe Sie an.» Die unleidliche Gewohnheit, Besuchern etwas vorzutelefonieren, ist selten witziger glossiert worden.

Musiker sind nicht eitel – sie bestehen aus Eitelkeit.

Da gab es einen englischen General, der war so unmusikalisch, daß er nur zwei Musikstücke erkennen konnte. Eins davon war God save the King.

Wegen ungünstiger Witterung fand die deutsche Revolution in der Musik statt.

Nichts gegen die Musik. Aber es liegt in ihrem Wesen, daß sie zu nichts verpflichtet. Man kann versinken in das Meer der Töne – und wenn man herauskommt, ist man wieder Exzellenz, Schulmeister, alte Jungfer ... je nachdem.
   Der Politiker, der Literat, der Philosoph – sie alle müssen Farbe bekennen. Der Musiker wird gefeiert und denkt sich nichts dabei. Der Musiker denkt nicht, sondern macht Musik.

Das bürgerliche Kunstspiel ist die Ablenkung vom wesentlichen. Es führt zu gar nichts, als ohnehin satten Leuten die Zeit zu vertreiben. Es ist an sich vielleicht nicht schädlich – aber es wird maßlos überschätzt, und es wird bewußt überschätzt, weil es so schön ungefährlich ist, weil kein Zinswucher, keine Ungerechtigkeit des Besitzes an Grund und Boden, keine Agrarreform damit verbunden ist. Ein Musikenthusiast frißt selten andre Menschen.

Der Schlager von gestern braucht nicht melancholisch zu machen. Er ist für den, der näher zusieht, ein Symptom für das Mysterium der fließenden Zeit.

Wie schön wäre das, wenn einer einmal, nur ein einziges Mal, so spielte: Eine Erinnerung an Mozart; ein Stück Symphonie, die aus irgend einem Grunde dem Freundeskreis ans Herz gewachsen ist, Erinnerung auch sie; ein altes spanisches Volkslied, auf einer Reise gehört; einen dummen Schlager, in Moll und in Dur, als Boston und als Charleston; ein paar Töne aus malayischen Tempelgesängen – und noch ein Häppchen Mozart. Und einen alten dunkelgebeizten

Walzer von Chopin. Das befriedigte unsern musikalischen Appetit. Das wäre erst Musik – an Stelle jenes dummen Jahrmarkts der Eitelkeiten.

Höre auf die Stimme des Publikums, aber überschätze sie nicht – in dir selbst muß eine Kompaßnadel die Richtung anzeigen. Zwanzig Briefe aus dem Publikum sind noch nicht die Volksstimmung – vergiß dies nicht, und laß die Dummheit der Leute den Künstler nicht entgelten.

Pro domo. Manchmal finde ich Aufsätze von mir in Zeitungen wieder, Nachdrucke, Auszüge aus meinen Büchern – mitunter versehen mit kleinen kritischen Zusätzen: ich sei ein destruktives Element. Das kann jeder sagen. Doch wenn ich dann das Abgedruckte näher prüfe, dann muß ich oft entdecken, daß ganze Sätze fehlen: den Schlangen sind die Giftzähne herausgebrochen. Nun ist es mir gewiß gleich, wie diese verängstigten Verlagsangestellten ihre Leserschaft einschätzen – weitaus tiefer als es nötig wäre; man glaubt es nicht, was da alles nicht ‹tragbar› ist. Mir solls recht sein. Aber eine Bitte habe ich an die verehrte Kollegenschaft:
Druckt meine Aufsätze nicht, wenn eure Abonnenten und Inserenten zu fein dafür sind. Laßt mich unzensiert. Ich möchte nicht mit einer Ausgabe für Kinder und Militär herauskommen, bar aller Schärfe, ohne jene Salzkörner, um derentwillen die Speise serviert worden ist. Euern Leuten bekommt das nicht? Dann laßt das ganze Gericht fort. Es ist keine Ehre, bei euch zu erscheinen, und ein Geschäft schon gar nicht. Um wieviel habt ihr die Mitarbeiterhonorare gesenkt? Um ein Drittel, um die Hälfte. Um wieviel euer Abonnement? Um wieviel eure Anzeigenpreise?
Ich mag nicht in jedem einzelnen Fall in Berichtigungen kund und zu wissen tun, daß ihr meine Arbeit verfälscht habt, so wichtig ist das nicht. Aber seid nett: laßt mich zufrieden. Ich kann doch nichts dafür, daß eure Druckereibesitzer solche Angst vor ihrer Kundschaft haben, und mich interessiert es auch nicht. Ich bin gewohnt, zu Lesern zu sprechen, die ein offnes Wort vertragen. Vertragen es eure nicht? Dann setzt ihnen weiterhin reizende kleine Feuilletons vor, bunte Bilder aus der Kinderstube, Modeplaudereien und sanfte Schilderungen vom Wintersport im Harz. Aber druckt mich nicht, wenn ihr meine Arbeiten nicht so abdrucken könnt, wie ich sie geschrieben habe.

Und überhaupt . . .

Alles ist richtig, auch das Gegenteil. Nur: «Zwar ... aber» – das ist nie richtig.

Du bekommst einen Brief, der dich maßlos erbittert? Beantworte ihn sofort. In der ersten Wut. Und das laß drei Tage liegen. Und dann schreib deine Antwort noch mal.

«Arzt sein heißt: der Stärkere sein», hat Schweninger gesagt. Krankenkassen-Patient sein heißt: der Schwächere sein.

«Wenn ich so viel Geld hätte», sagte Joachim Ringelnatz, «und so viel Macht, daß ich alles auf der Welt ändern könnte, dann ließe ich alles so, wie es ist.»

An einem Rausch ist das schönste der Augenblick, in dem er anfängt, und die Erinnerung an ihn.

Der Kreislauf der Natur. Mein Vetter hat einen Cousin, dessen Stiefnichte ist mit ihrem Großzwilling verheiratet. Und dem sein Onkel pflegt zu sagen:

«Mein liebes Kind, da sind nun also die Würmer. Die Würmer werden von den Fröschen gefressen; die Frösche von den Störchen, die Störche bringen Kinder, und die Kinder haben Würmer. So schließt sich der Kreislauf der Natur.»

Der schwedische Zeichner Albert Engström hat von einer seiner Figuren gesagt: Er schielte so, daß er mittwochs beide Sonntage zu gleicher Zeit sah.

Runzeln – Schützengräben der Haut.

Das Schönste vom Sonntag ist der Sonnabend Abend.

Golf, sagte einmal jemand, ist ein verdorbener Spaziergang.

Feste pflegen sich lange zu halten – ihre Motive weniger.

Man soll nichts tun, was einem nicht gemäß ist.

Erhalten zu bleiben, ist kein Zeichen von Wert.

Er war hochmütig wie der Sohn einer zweiten hamburger Familie, aber etwas gebildeter.

Lungenhaschee ... das sieht aus wie: «Haben Sie das gegessen, oder werden Sie das essen?»

«Man kann den Hintern schminken, wie man will», sagt Karlchen, «es wird kein ordentliches Gesicht daraus.»

Langweilig ist noch nicht ernsthaft.

– Was macht er eigentlich jetzt?
– Sich wichtig!

Er kaufte sich eine Hundepeitsche und einen kleinen dazugehörigen Hund.

Rein hippologisch betrachtet ist er vom Pferd gefallen.

Ein Loch ist da, wo etwas nicht ist.

Größenwahnsinnige behaupten, das Loch sei etwas Negatives. Das ist nicht richtig: der Mensch ist ein Nicht-Loch, und das Loch ist das Primäre.

Warum gibt es keine halben Löcher –?

Das Merkwürdigste an einem Loch ist der Rand. Er gehört noch zum Etwas, sieht aber beständig in das Nichts, eine Grenzwache der Materie.

Das Loch ist ein ewiger Kompagnon des Nicht-Lochs: Loch allein kommt nicht vor, so leid es mir tut.
Wäre überall etwas, dann gäbe es kein Loch, aber auch keine Philosophie und erst recht keine Religion, als welche aus dem Loch kommt.

Manche Gegenstände werden durch ein einziges Löchlein entwertet: weil an einer Stelle von ihnen etwas nicht ist, gilt nun das ganze übrige nichts mehr. Beispiele: Fahrschein, eine Jungfrau und ein Luftballon.

Die Seele jeder Ordnung ist ein großer Papierkorb.

Nie ist ein Gegenstand so leibhaftig da, wie der, der nicht mehr da ist. Jetzt erst wird er ganz lebendig, schätzenswert, fast unersetzbar – so einen bekommst du nie mehr wieder. Aber es gibt doch noch andere Schirme, Kanarienvögel, Zerstäuber – Ja, aber so einen nicht.
Denn mit dem Verlorenen ist ein Stück Leben mitgegangen, es hat so vieles mitgemacht, an ihm hängen Energien, Blicke, Rufe, Lachen. Das hat es alles aufgesogen.

Was nicht griffbereit ist, was man nicht nachts um zwei Uhr finden kann –: das besitzt man nicht. Das liegt bloß da. Es ist so, wie wenn man es weggeworfen hätte.

In neunundneunzig Fällen von hundert lohnt es sich nicht, ein Ding aufzubewahren. Es nimmt nur Raum fort, belastet dich; hast du schon gemerkt, daß du nicht die Sachen besitzt, sondern daß sie dich besitzen?

Der schönste Augenblick am Tag ist doch der, wo man morgens unter der Brause hervorkriecht und das Wasser von einem abtropft. Was dann noch kommt, taugt eigentlich nicht viel.

Glück ist der Zustand, den man nicht spürt, sagt der Weise.

Kurzes Glück kann jeder. Und kurzes Glück: es ist wohl kein andres denkbar, hienieden.

Tröste dich.
Jedes Glück hat einen kleinen Stich.

Wir möchten so viel: Haben. Sein. Und gelten.
Daß einer alles hat: das ist selten.

Wenn man sich allemal vergegenwärtigt, wieviel Malheur es auf der Welt gibt, und daß man zufällig im Augenblick nicht daran beteiligt ist, dann schmeckt der Augenblick noch einmal so gut.

Warum kann einem ein andrer den Hut nie richtig aufsetzen? Immer müssen wir noch mal dran ruckeln.

Nur Verrückte merken, daß Verrückte verrückt sind.
    Schade, daß Verrückte nur selten den Ruhm der Mitwelt ernten.

Die Apotheke macht besinnlich, wir fordern, nehmen, zahlen und sind schon halb geheilt. Bis zur Tür. Draußen ist es wesentlich ungemütlicher, und von der sanft-duftenden Medizin-Insel steuern wir wieder auf das hohe Meer. Die Apotheke ist das Heiligenbild des ungläubigen Mannes.

Über den Bodensee der Sexualität kommt man nur, wenn er zugefroren ist und der Reiter nicht weiß, daß das Feld eigentlich eine Eisdekke ist. Wer sich zuviel auf sich selbst besinnt, ist schwach. Und ich glaube, dieses ganze Geschrei über Sexualität, Erotik, Unsittlichkeit entspringt einem einzigen: dem Mangel an Kraft.

Ich bin ein altmodischer Hund und glaube, daß man seinen Kindern den größeren Segen erweist, wenn man sie ruhig und vernünftig über den zugefrorenen Bodensee der Sexualität hinüberführt. Ob und wann man sie aufklärt – darüber läßt sich reden. Worüber sich aber nicht reden läßt, das ist: daß man sie in einer Gespensterfurcht vor der Fortpflanzung hält, tuschelnd das «große Geheimnis» verschleiert und ihnen vielleicht eine lebenslange Angst und Zwangsvorstellung aufpflanzt.

Kein Kind versteht die Erwachsenen – so, wie ja auch die Erwachsenen gewöhnlich ihre Kinder nicht verstehn. Die Kinder sehen auf die Großen herab ... Was die alles machen! was die so für Sorgen haben! weshalb sie sich laut gebärden und was sie nicht sehen und mit welchen geheimnisvollen Arbeiten sie sich befassen und wichtig tun! Kein Kind versteht die Erwachsenen; es fühlt sie nur manchmal.

Es gibt bekanntlich drei wahrhaft internationale Mächte: die katholische Kirche, die Homosexuellen und Standard Oil.

O Wonne des guten und gerechten Kreuzzuges, du Laxier der Unmoral! ... Ich kannte den Mechanismus dieser Lust: sie war doppelt gefährlich, weil sie ethisch unterbaut war; quälen, um ein gutes Werk zu tun ... das ist ein sehr verbreitetes Ideal.

Man fällt nicht über seine Fehler. Man fällt immer über seine Feinde, die diese Fehler ausnützen.

Kämpfen – aber mit Freuden!
Dreinhauen – aber mit Lachen!

Früher, heißt ein altes Wort, hielten sich die Grafen Hausjuden, heute halten sich die Juden Hausgrafen. Es müssen nicht grade Juden sein – aber er sitzt gewissermaßen immer als Diener neben irgend einem Chauffeur, als Reisebegleiter, Kunsthändler, Bibliothekar und Ornament in einem. Er schmückt sehr.

So oft ist mir schon aufgefallen, was geschieht, wenn die reichen Leute zu essen bekommen: sie sehen dem Kellner auf das herbeigebrachte Futter, mit einem scheinbar gleichgültigen, aber doch gespannten Ausdruck, es rinnen ihnen sozusagen die geistigen Appetitfäden aus dem Gehirn, schwer sitzen sie da: «Das steht mir zu, das ist meins», und ich bin überzeugt, sie fingen an zu knurren, wenns ihnen jetzt einer wegnehmen wollte.

Humor ist ein Element, das dem deutschen Menschen abhanden gekommen ist.

Humor: zu wissen, daß es, nachdem man tapfer gewesen ist, alles nicht so schlimm ist. Humor: zu fühlen, daß es von oben reichlich unsinnig aussieht, was wir hier aufführen. Und dennoch zu seiner Sache stehn. Und abends um neun, wenn alles fertig ist, zu wissen: Es lohnt sich kaum – aber man muß ran.

Für die kleinen Nöte des Lebens ist unser Apparat nicht geschaffen; dazu ist er zu sehr Selbstzweck. Ärzte und Rechtsanwälte machen gewaltige Fortschritte, aber mit einer Forderung von 46,50 Reichsmark und mit einem Schnupfen bist du doch immer der Dumme.

Es gibt keine tiefere Sehnsucht als diese: die Sehnsucht nach der Erfüllung. Sie kann nicht befriedigt werden.

Einer, der sein Leben lang einen Lederbeutel voller bunter Steine hütet, die er für Edelsteine hält, der ist reich. Auch, wenn es bunte Glasstückchen sind. Er darf nur den Beutel nicht aufmachen.

Gott erhalte uns die Freundschaft. Man möchte beinah glauben, man sei nicht allein.

Freundschaft, das ist wie Heimat.

Manchmal sieht man Freunde wieder, die es zu etwas gebracht haben. Neid? Nein. Aber wenn man lange nachgedacht hat, warum sie einem so fremd und unsympathisch geworden sind, so dürfte es wohl dieses sein: ihre süßliche Erfolgschnauze.

Blut ist dicker als Wasser; Krach ist dicker als Blut, und stärker als alle drei beide ist die Gewöhnung.

Als Gott am sechsten Schöpfungstage alles ansah, was er gemacht hatte, war zwar alles gut, aber dafür war auch die Familie noch nicht da. Der verfrühte Optimismus rächte sich, und die Sehnsucht des Menschengeschlechtes nach dem Paradiese ist hauptsächlich als der glühende Wunsch aufzufassen, einmal, nur ein einziges Mal friedlich ohne Familie dahinleben zu dürfen.

Es gibt vielerlei Lärme, aber es gibt nur eine Stille.

Nichts ist manchmal so wichtig, wie in Ruhe aufnehmen zu können, ohne dabei geben zu müssen.

Man muß aus der Stille kommen, um etwas Gedeihliches zu schaffen. Nur in der Stille wächst dergleichen.

Immer klopfen sie, oder sie machen Musik, immer bellt ein Hund, marschiert dir jemand über deiner Wohnung auf dem Kopf herum, klappen Fenster, schrillt ein Telefon – Gott schenke uns Ohrenlider.

Der Geist ist ein Bestandteil des Lebens – nicht sein Gegensatz.

Wir hätten sollen ... das ist ein nachdenkliches Wort. Wenn ich es auf meinem Gedankenklavier, der Schreibmaschine, anschlage – klingt es lange nach – es ist fast wie ein Thema, das mit Variationen gespielt werden kann. Wir hätten sollen ...

Wir haben die Traktate über die Freiheit des Willens wohl gelesen und wissen, daß das Wasser nur sprudelt, wenn es den Berg herunterläuft, daß es nur schneit, wenn es kalt ist, daß die Auerhähne nur balzen, wenn ihre Zeit ist – wir wissens wohl.

Und dennoch, dennoch ... Ist alles vorbei, dann klopft etwas im Innern an, unser Gesicht verdüstert sich, und nach Glück, Unglück, Geburt und Tod sagt eine leise Stimme: «Wir hätten doch sollen ...!»

Wir hätten sollen ... Und das alte faltige Gesicht Schopenhauers taucht auf, bärbeißig, mit den alles durchdringenden Augen und grimmig noch, wenn er lachte: «Ihr hättet sollen! Narren! Hättet ihr denn können?» –

Das Wesen des Meeres ist aus dem Tropfen nicht ersichtlich.

Gegen einen Ozean pfeift man nicht an.

Selbsthaß ist der erste Schritt zur Besserung.

Aus seiner Haut kann keiner – aus ihrer Klasse heraus können nur wenige.

Max Liebermann wäre auch ohne Hände ein großer Bankier geworden.

Amüsements sehen immer wie die Geschäfte aus, von denen man sich bei ihnen erholt.

Schade, daß man einen Wein nicht streicheln kann.

Wer lobt, wird selten nach seiner Aktivlegitimation gefragt.

Wenn man sich entmaterialisieren könnte –: ich wollte wohl einmal Hitlern als Gespenst erscheinen. Aber in welcher Gestalt? Das beste wird sein: als Briefmarke. Es gäbe da manche Möglichkeiten.

Die Katze ist das einzige vierbeinige Tier, das dem Menschen eingeredet hat, er müsse es erhalten, es brauche aber dafür nichts zu tun.

Ich persönlich freue mich immer, wenn ich auf das Wort ‹persönlich› stoße – ein zu dummes Wort. Manchmal wird es aus Bescheidenheit gebraucht; ‹ich persönlich› bedeutet dann: ‹ich für mein Teil, im Gegensatz zu andern, die vielleicht anders denken›, und manchmal wird es aus Wichtigtuerei gebraucht: ‹der Herr Präsident persönlich›.
Aber eine gradezu morgensternsche Anwendung dieses Wortes habe ich neulich in einer Anzeige gefunden. Die Besitzerin eines Schönheitssalons konnte nicht erscheinen, und daher sandte sie etwas. Nämlich ihre ‹persönliche Stellvertreterin›. Darüber kann man ganze Nächte nachdenken.

Es gibt moderne Möbel, von denen ein witziger Frankfurtammainer gesagt hat, sie seien für die Wohnung nur konstruiert, damit man sich beim Zahnarzt wie zu Hause fühle ...

Der, der einen Schlafenden beobachtet, fühlt sich ihm überlegen – das ist wohl ein Überbleibsel aus alter Zeit, vielleicht schlummert da noch der Gedanke: er kann mir nichts tun, aber ich ihm.

Es lassen sich die Dinge dieser Welt nun einmal nicht alle restlos mit dem Gehirn erledigen. Wenn man mit dem mathematischen Denken fertig ist, bleibt etwas zurück, das sich nur mit der robusten Kraft bewältigen läßt. Und das ist ganz gut so, sonst säße ein Rabulist auf dem Thron, und das werden wir doch nicht wollen, nicht wahr?

Manchmal, wenn das Telefon nicht ruft, wenn keiner etwas von dir will, nicht einmal du selber, wenn die Trompeter des Lebens pausieren und ihre Instrumente umkehren, damit die Spucke herausrinnt ... dann horchst du in dich. Und was ... dann ist da eine Leere – Dann ist da gar nichts.

Zeitlupe

Aus dem Getöse der Autos, den Schreien der Sirenen und den kurvenheulenden Bahnen steigt leise und fast unhörbar, ein Gedanke in die Welt, der neu und alt zugleich ist: der nämlich, daß sich die Seele nicht töten läßt. Daß sie derer spottet, die sie auf Flaschen ziehen wollen. Die sie registrieren wollen. Dies ist vielleicht eine seelenlose Zeit. Aber es ist eine, die die Seele sucht.

Zur Zeit sind sie in Europa dabei, eine Metaphysik der schwerfälligen Handklopferei aufzubauen. Sie fühlen den schrecklichen Leerlauf des Maschinenlebens, und nun tappen sie verschreckt zurück und suchen die verlorene Seele am Spinnstuhl, weil die Großmama, als sie dem Großvater eins spann, eine Art Seele gehabt hat. Wir auch! wir auch!

Erwarte nichts. Heute: das ist dein Leben.

In jeder Zeit sitzt einer und hat sie bis zum Hals herauf satt. Ah – die ewig gleichen Schlagworte, der Gemeinplatz, die dummen Bilder – die ewig gleichen Zeitgenossen, die Enge, die zu nahe Vertrautheit mit allen – und wenn Sie wüßten, wie ich mich sehne, einmal herauszukommen . . .! Wir haben hier im Jahre 1926 so gar keine Anregung . . . Eine trübe Zeit. Renaissance! Das Jahr 2000! Sie ahnen nicht, wie beschränkt die Menschen von heute sind . . . Hinaus! Hinaus!

«In unsrer Zeit . . .» sagen die Leute, und sind sehr stolz darauf. Das klingt oft wie: «Bei uns in Tuntenhausen . . .». Es gibt Kleinstädter und es gibt Kleinzeitler. Das Wort ‹heute› wird zu oft gebraucht.

Die meisten Leute wissen gar nicht, daß sie im Jahre 1932 leben. Die andern können sich nicht darüber beruhigen, daß sie im Jahre 1932 leben.

Man sollte gar nicht glauben, wie gut man auch ohne die Erfindungen des Jahres 2500 auskommen kann!

Nichts ist schwerer und nichts erfordert mehr Charakter, als sich in offenem Gegensatz zu seiner Zeit zu befinden und laut zu sagen: Nein.

Die Leute blicken immer so verächtlich auf vergangene Zeiten, weil die dies und jenes ‹noch› nicht besaßen, was wir heute besitzen. Aber dabei setzen sie stillschweigend voraus, daß die neuere Epoche alles das habe, was man früher gehabt hat, plus dem Neuen. Das ist ein Denkfehler.

Es ist nicht nur vieles hinzugekommen. Es ist auch vieles verloren gegangen, im guten und im bösen. Die von damals hatten vieles noch nicht. Aber wir haben vieles nicht mehr.

Große Dinge ereignen sich nicht mittags um zwölf Uhr zehn. Sie wachsen langsam.

Schlange vor dem Schalter. Alles geht, wenn auch langsam, so doch regelmäßig; du ruckst voran. Bis der Mann vor dir herankommt. Der Mann vor dir macht stets ungeahnte Schwierigkeiten, er will Herrn Eisenbahn persönlich sprechen und braucht für sich allein so viel Zeit wie alle andern Vormänner zusammen. So ist das Leben.

Ick kann det Jefuchtel nich vatrahrn.
Wir komm bei Muttan raus mit Jeschrei
un manche bleihm denn auch dabei.

Den meisten Leuten sollte man in ihr Wappen schreiben:
Wann eigentlich, wenn nicht jetzt?

Wenn wir was brauchen, dann haben wirs nicht;
und wenn wir es kriegen, dann wollen wirs nicht.
Lieber Gott! sei doch nur einmal gescheit
und gib uns die Dinge zu ihrer Zeit –!

Was wissen wir von der Zeit? Wir stehen davor wie der Wanderer vor der roten Felswand, viel zu nah, um ihre Struktur, geschweige denn ihre Schönheit zu sehen! Was wissen wir von unserer Zeit? Wir sind ihre Instrumente, und ich glaube, daß *der* noch ihr bestes ist, der sich ihr nicht entgegenstemmt.

Was die Leute immer mit der Unsterblichkeit und mit der Nachwelt haben! Wer in Breslau wohnt, kauft sich seine Stiefel nicht in Klondyke – Breslau hat selber Schuhgeschäfte. Jede Zeit deckt ihren Alltagsbedarf bei sich und nicht bei vergangenen Epochen. Das Jahr 2114 wird seine Künstler, Schwindler, Schuster und Politiker haben – es braucht die unsern nicht. Es wird auf manche zurückgreifen, aber nur auf wenige, und auch die werden nicht allein nach ihrer Größe ausgewählt, sondern nach den Bedürfnissen der Zeit. Wie machen wir es denn? Wir machen es genau so.

Es lastet auf dieser Zeit
der Fluch der Mittelmäßigkeit.

Dies ist, glaube ich, die Fundamentalregel allen Seins: «Das Leben ist gar nicht so. Es ist ganz anders.»

Der Zustand der gesamten menschlichen Moral läßt sich in zwei Sätzen zusammenfassen: We ought to. But we don't.

Es ist ein großer Irrtum, zu glauben, daß Menschheits-Probleme «gelöst» werden. Sie werden von einer gelangweilten Menschheit liegen gelassen.

Wenn du aufwärts gehst und dich hochatmend umsiehst, was du doch für ein Kerl bist, der solche Höhen erklimmen kann, du ganz allein –: dann entdeckst du immer Spuren im Schnee. Es ist schon einer vor dir dagewesen.

Erfahrungen vererben sich nicht –
jeder muß sie allein machen.

Auch ich suche. Auch ich bin weder ein Prophet, der die fix und fertige Lösung der Lebensrätsel in der Tasche hat ... noch bin ich der Patent-Organisator, Zahlung des Mitgliedsbeitrages genügt, komme sofort, Angehörige unsrer Organisation leiden an keinerlei metaphysischen Beschwerden ...

Wer viel von dieser Welt gesehn hat – der lächelt, legt die Hände auf den Bauch und schweigt.

... der Weise, der einmal begriffen hat,
fragt nicht: Warum?
Er betrachtet nur noch das Wie ...

Schweigen und vorübergehen ist auch eine schöne Losung.

Wie ist es mit dem Leben! Erzähl schnell, wie es mit dem Leben ist!
... «Erst habe ich gemerkt», sagte ich, «wie es ist. Und dann habe ich verstanden, warum es so ist – und dann habe ich begriffen, warum es nicht anders sein kann. Und doch möchte ich, daß es anders wird. Es ist eine Frage der Kraft. Wenn man sich selber treu bleibt ...»

Der Zeit aber wollen wir nicht nachlaufen; wir wollen in ihr leben. Ich will gar nicht einmal davon sprechen, wieviel Charakterstärke dazu gehört, sein Leben zu Ende zu leben, gegen alle andern.

Die Geschichtsbücher bewahren nur das Gute, Edle und Schöne auf – der Alltag versinkt. Und der gelockt gekräuselte Sonntag, überliefert und sorgfältig für die Tradition gepflegt, behält sein Recht. Ja, damals –! Als ob nicht jedes Damals relativ genau so hart, so laut und so erbarmungslos gewesen wäre wie jedes Heute, als ob nicht immer die Cäsaren, die Fugger, die Cagliostros und die Devisenhändler oben gelegen hätten!

«Woher weißt du denn das?», fragte der Fremde den koblenzer Knaben. «Das hat mich mein Vater gelernt», sprach jener. Geschichte entsteht oft auf wunderbaren Wegen.

Bekanntlich fängt die Weltgeschichte immer zehn Jahre vor der Geburt eines jeden Menschen an: was vorher liegt, lernt er zwar in der Schule, aber es ist ihm gleichgültig.

Nichts erschüttert so wie Phantastik in der Zeit. Phantastik im Raum ist schließlich technisch vorstellbar. Ob ich wirklich einmal auf den Mars (ich lebe in Berlin, also natürlich mit ermäßigten Billets) werde fahren können, steht noch aus – daß ich aber weder fünf Minuten vorwärts noch rückwärts springen kann, steht sicherlich fest.

Wie schön aber müßte es sein, mit gesammelter Kraft und mit der ganzen Macht der Erfahrung zu studieren! Sich auf *eine* Denkaufgabe zu konzentrieren! Nicht von vorn anzufangen, sondern wirklich fortzufahren; *eine* Bahn zu befahren und nicht zwanzig; *ein* Ding zu tun und nicht dreiunddreißig. Niemand von uns scheint Zeit zu haben, und doch sollte man sie sich nehmen. Wenige haben dazu das Geld. Und wir laufen nur so schnell, weil sie uns stoßen, und manche auch, weil sie Angst haben, still zu stehen, aus Furcht, sie könnten in der Rast zusammenklappen – –

Das Leben aber ist ein Kreis. Es bleibt beim Ausmessen ein winziger, verflixter Rest, etwas, das nicht aufgeht, nie und niemals.

Spart eure Gefühle für die Frauen auf, die euch einmal begegnen, und wenn ihr Glück habt, für einen Freund, und wenn ihr einen Haupttreffer macht: überhaupt nicht für einen Menschen, sondern für eine große und schöne Sache.

An preußischen Kaminen

Das deutsche Schicksal: vor einem Schalter zu stehn.
Das deutsche Ideal: hinter einem Schalter zu sitzen.

Wir Deutschen zerfallen in drei Klassen: die Untertanen – die haben bisher geherrscht; die Geistigen – die haben sich bisher beherrschen lassen; die Indifferenten – die haben gar nichts getan und sind an allem Elend schuld.

Das deutsche Leben gehört dem Aktenverkehr.

Früher wurden die Beamten von ihren Herren Eltern sorgsam mit der Hand hergestellt. Vater und Mutter zogen das so gewonnene Kind auf, ließen es ordentlich nichts lernen und brachten es dann in dem Beamtenkörper unter, wo es ein sauberes, wenn auch kärglich gebürstetes Dasein führte. Heute sind die Beamten Maschinenware geworden. Und weil jeder Mensch Beamter ist, auf irgendeine Weise, so sterben sie nicht aus, sondern regieren sich gegenseitig. Man sollte reine Untertanen züchten – bald wird es keine mehr geben.

Ein Einzelner ist gar nicht in der Lage, im festgefügten Milieu der deutschen Beamten etwas Anderes zu pfeifen als den allgemeinen Takt. Er lernt – und erlernt etwas Dumpfes und Falsches. Er will vorwärtskommen – und kann es nur, wenn er sich den Wünschen von «oben» fügt. Er hat vielleicht anfangs Ideale – er gewöhnt sie sich rasch ab, sie gewöhnen sie ihm rasch ab. Und dann wird er älter und hat Frau und Kinder und will nicht versetzt und nicht pensioniert werden ... und dann haben wir ihn so, wie wir ihn haben.

Die zuständige Ration Verstand des Deutschen teilt das Land horizontal in zwei Lager ein: oben die Ämter, unten der Untertan.

Der Bürger. Das ist – wie oft wurde das mißverstanden! – eine geistige Klassifizierung, man ist Bürger durch Anlage, nicht durch Geburt und am allerwenigsten durch Beruf. Dieses deutsche Bürgertum ist ganz und gar antidemokratisch, dergleichen gibt es wohl kaum in einem andern Lande, und das ist der Kernpunkt alles Elends.

So heilt der Deutsche seine Wunden.
Ein Herz aus Wachs, Gesäß aus Stahl ...
Der Bürger hat sich heimgefunden.
Ihm ist auch in den Schicksalsstunden
alles ejal – alles ejal!

Die Deutschen sind stets ein Gruppenvolk gewesen; wer an diesen ihren tiefsten Instinkt appelliert, siegt immer. Uniformen; Kommandos; Antreten; Bewegung in Kolonnen ... da sind sie ganz.

Der Kleinbürger hat drei echte Leidenschaften: Bier, Klatsch und Antisemitismus.

Wenn dem Deutschen so recht wohl ums Herz ist, dann singt er nicht. Dann spielt er Skat.

Berlin S. arbeitet, Berlin N. jeht uff Arbeet, Berlin O. schuftet, Berlin W. hat zu tun.

In dieser Stadt (Berlin) wird nicht gearbeitet –, hier wird geschuftet. (Auch das Vergnügen ist hier eine Arbeit, zu der man sich vorher in die Hände spuckt, und von der man etwas haben will.) Der Berliner ist nicht fleißig, er ist immer aufgezogen. Er hat leider ganz vergessen, wozu wir eigentlich auf der Welt sind.

«Nischt arbeiten und denn ooch nischt tun – so ist richtig! Na, das kommt noch mal anders! Ihr werdet noch mal so klein –!» (Prophezeiung größerer Wirtschaftskrisen mit angedrohter Ausnutzung durch den Kapitalisten. Dazu meist höhnisches Gelächter der Produktionsvertreter).

Pflicht – Gehorsam – Arbeit: es wimmelt nur so von solchen Worten bei uns, hinter denen sich Eitelkeit, Grausamkeit und Überheblichkeit verbergen.

In Deutschland arbeiten die Arbeiter, damit die Angestellten etwas zu schreiben haben.

«Es ist ein Irrtum zu glauben», habe ich neulich bei einem hochfeinen Schriftsteller gelernt, «daß die Arbeiter die Türme erbaut haben; sie haben sie nur gemauert.»

Nur – ‹nur› ist gut.

. . .

‹Nur›? Das Überflüssigste auf der Welt ist ein kleinbürgerlicher Philosoph.

Deutschland ist das Land, in dem die Leute so schwer miteinander arbeiten. Sie können nur: untereinander und übereinander. Koordination ist hierzulande eine seltene Sache.

Der Deutsche fährt nicht wie andere Menschen. Er fährt, um recht zu haben. Dem Polizisten gegenüber; dem Fußgänger gegenüber, der es übrigens ebenso treibt – und vor allem dem fahrenden Nachbarn gegenüber. Rücksicht nehmen? um die entscheidende Spur nachgeben? auflockern? nett sein, weil das praktischer ist? Na, das wäre ja . . .

Wenn alle Leute erster Klasse fahren, ist die erste Klasse keine erste Klasse mehr. Berlin hat die Aristokratie des Durchschnitts erfunden.

Wenn Sie die Seele dieses Volkes ganz genau kennen lernen wollen, dann müssen Sie einen deutschen Krach mitanhören.

Der Deutsche will nicht sein – er will anders sein als der Nebenmann.

Bei uns ist jeder allein – sie könnten einen Reichsverband Deutscher Einsiedler gründen. Denn jede deutsche Einsamkeit ist viel kollektiver, als sie glauben, und jeder Individualist viel mehr Maschinenware, als er glaubt. Es sind nur Einzelabgüsse derselben Form: der deutschen.

Die Engländer wollen etwas zum Lesen, die Franzosen etwas zum Schmecken, die Deutschen etwas zum Nachdenken.

Will der Stammtisch aller Welt nicht ohne Lust sein –:
braucht er
        Kino, Kirche und das Nationalbewußtsein.

Es gibt zwei Sorten von Berlinern: die ‹Ham-Se-kein Jrößern?›-Berliner und die ‹Na-fabelhaft›-Berliner. Die zweite Garnitur ist unangenehmer.

Die Form des berliner Lobes läßt deutlich erkennen, wie sehr der Tadel in dieser Stadt das Primäre ist – es wirkt immer wie ein ins Freundliche umgebogener, für dieses Mal nicht anwendbarer Tadel. «Das ist schon sehr begabt!» – wieviel Huld, wieviel Leutseligkeit steckt darin! Dies Lob grüßt wie eine dicke Hand aus einer hochherrschaftlichen Limousine.

«Wir in Berlin sind überall dabei, aber wir kommen zu nichts. Wir haben französischen Schick, englischen Sport, amerikanisches Tempo und heimische Hast – nur uns selbst haben wir nie gekannt.»

Berlin liegt nicht an der Spree; es liegt am laufenden Band.

Der Berliner ist meist aus Posen oder Breslau und hat keine Zeit.

Wer waren unsre Ahnen?
Kaschubische Germanen.

Die zeugten zur Erfrischung
uns Promenadenmischung.
  Drum drehten wir
  zum Beten hier
  die nationale Rolle.
  Was Wotan weihen wolle –!

Die Deutschen sind nun einmal unter den Nationen das, was die Juden unter den Deutschen; das ist schmerzlich zu hören, aber wahr, wenn auch lustigerweise beide Vergleichsobjekte dagegen, wild fauchend, also getroffen protestieren.

Es gibt ein altes Wort: «Wenn der Deutsche hinfällt, steht er nicht auf, sondern sieht sich um, wer ihm schadensersatzpflichtig ist.»

Wer glaubt in Deutschland einem politischen Schriftsteller Humor? dem Satiriker Ernst? dem Verspielten Kenntnis des Strafgesetzbuches, dem Städteschilderer lustige Verse? Humor diskreditiert.

Wenn in Deutschland ein Musikprofessor berühmt wird, dann beginnen sich zwei Gruppen um ihn zu streiten: die Radfahrer etwa und die Briefmarkensammler. Fast jeder deutsche geistige Streit verläuft heute auf einer falschen Ebene, nämlich auf einer, wo er nichts zu suchen hat.

Daß der Berliner, an welchem Ort auch immer allein gelassen, nachdenklich dasitzt, den Boden fixiert und plötzlich, wie von der Tarantel gestochen, aufspringt: «Wo kann man denn hier mal telefonieren?» – das ist bekannt. Wenn es keine Berliner gäbe: das Telefon hätte sie erfunden. Es ist ihnen über, und sie sind seine Geschöpfe.

Klopft das Volk drohend an die Türen, macht der Berliner noch lange nicht auf. Klingelt aber ein kleiner Apparat, so winkt er noch den adligsten Besucher ab, murmelt mit jener Unterwürfigkeitsmiene, wie man sie sonst nur bei gläubigen Sektierern findet: «'n Augenblick mal –!» und wirft sich voll wilden Interesses in den schwarzen

Trichter. Vergessen Geschäft, Hebamme, Börse und Vergleichsverhandlung.

Einen Berliner fünfzehn Minuten lang, ungestört von einem Telefon, zu sprechen, ist ein Ding der Unmöglichkeit.

Dieser Aufwand –! Diese Terminologie –! «Von der Verantwortung des deutschen Nachwuchses». – «Grundlagen und Ziele bündischer Erziehung». – «Neudeutsche Wirtschaftsproblematik». – «Deutsches Schicksal ... Das Führerproblem in der Jugendbewegung ... Die studentische Einheitsbewegung ... Älterenbund ...» Und? Na und? Was kommt dabei heraus –?

Dieses Deutschland. Diese Richter. Diese Reichswehr. Diese Behandlung von Proletariern. Diese Wirtschaft. Dafür der Auflauf? Dafür atavistische Züge und südlicher Zauber und Gottgefühl und einsame Wanderer und «er kommt her von ...» und «für ihn bedeutet Seele ...» und Überbetonung und Neurose und Instinktfehler und die ganze türkische Musik –? Geschenkt.

Mir bedeuten diese jugendlichen Bündler und die deutsche Seele und die neukatholische Mystik und der deutsche Mensch einen Schmarrn, wenn sich das Brodeln ihrer Seele nicht nach außen in die Tat umsetzt. In solche nämlich, die nicht das Paradies auf Erden schafft. Die aber wenigstens blutigstes Unrecht verhindert, die zerstörtes Rechtsgefühl aufbaut und das eigne Volk nicht mit Honigbroten füttert, sondern den Mut aufbringt, ihm die Wahrheit zu sagen. Wenn euer Innenleben, auf das ihr so unendlich stolz seid, ihr traditionellen Individualisten, einen Wert haben soll: hier ist eure Insel. Hier springt an.

Der Geist ist in Deutschland immer die letzte Rettung nach den Niederlagen – sie gehen auf den Geist, wie andre auf den Abort. Als Sieger brauchen sie ihn nicht.

Den Deutschen muß man verstehen, um ihn zu lieben; den Franzosen muß man lieben, um ihn zu verstehen.

Es ist sehr schwer, aus Deutschland zu sein.
Es ist sehr schön, aus Deutschland zu sein.

Macht unsre Bücher billiger! . . .

... forderte Tucholsky einst, 1932, in einem «Avis an meinen Verleger». Die Forderung ist inzwischen eingelöst.

Man spart viel Geld beim Kauf von Taschenbüchern. Und wird das Eingesparte gut gespart, dann zahlt die Bank oder Sparkasse den weiteren Bucherwerb: Für die Jahreszinsen eines einzigen 100-Mark-Pfandbriefs kann man sich zwei Taschenbücher kaufen.

Die Herren Sachverständigen

Laß dir von keinem Fachmann imponieren, der dir erzählt: «Lieber Freund, das mache ich schon seit zwanzig Jahren so!» – Man kann eine Sache auch zwanzig Jahre lang falsch machen.

Ihr wißt ja, wie ein Fachmann ist –: hat er eine Sache zwanzig Jahre falsch gemacht, dann wird sie ein heiliges Ritual, und wir andern haben da nichts dreinzureden.

Wenn man einen Menschen richtig beurteilen will, so frage man sich immer: «Möchtest du den zum Vorgesetzten haben –?»

Merk: Wenn einer bei der Festsetzung von Arbeit und Lohn mit «Ehre» kommt, mit «moralischen Rechten» und «sittlichen Pflichten», dann will er allemal mogeln.

Subordiniert – das ist die schlechte Arbeit von gestern.
Koordiniert – das ist die gute Arbeit von morgen.

Der Respekt, womit in Deutschland jeder ‹Fachmann› bewundernd zu seinem eignen Kram aufsieht, ist mehr als lächerlich. Es hat den Anschein, als habe es noch niemals Ingenieure, Buchbinder, Fleischermeister und Ärzte gegeben – als gäbs auch anderswo keine, und wenn man die meist mittelmäßige Ausbildung des Durchschnitts kennt, der seine Sache eben so recht und schlecht macht, wie es zu allen Zeiten alle Menschen gemacht haben, mutet diese Feierlichkeit doppelt komisch an.

Der Standesdünkel liegt in derselben Schublade wie der Patriotismus. Vom Feuerwehrverein bis zum Vaterland sind nur wenige Schritte. Und daher sieht bei uns der Skatverein wie ein Staat und der Staat wie ein Skatverein aus.

Es ist kein Ehrentitel, Schriftsteller zu sein; so wenig, wie es ein Ehrentitel ist, Richter zu sein oder Arzt. Nicht die Standeszugehörigkeit legitimiert den Mann; seine Leistung legitimiert ihn.

Reden können; gut sprechen; einen Saal zu ‹haben› – das ist eine der niedrigsten Fähigkeiten, die es gibt. Sie ist in Deutschland so selten, daß der gute Redner stets angestaunt wird. Für einen Menschen und nun gar für eine Sache besagt die Tatsache, daß einer gut reden kann, noch gar nichts.

Ein Künstler braucht keinen Erfolg zu haben. Aber ein Zahnarzt, der nicht von Schmerzen befreit; ein General, der dauernd Prügel bekommt, und ein Wirtschaftskapitän, der nicht weiß, wo Gott wohnt –: diese drei dürften nicht ganz das Richtige sein.

Früher sagte ein Kunstwerk etwas über die Geistesverfassung seines Schöpfers. Heute zeigt es etwas andres an: die Geistesverfassung des Kunstkaufmanns, der es vertreibt. Selbe ist nicht immer sehr interessant.

Vermitteln ist nötig; aber es ist in den seltensten Fällen eine produktive Sache. Diese Tätigkeit wird überschätzt. Wesentlich für ein Kunstwerk sind Urheber und Empfänger. Was dazwischen liegt, ist ein notwendiges Übel.

Es gibt mehrere Mittel, sich die Todfeindschaft eines Kunstkaufmanns zuzuziehen: man kann sein Haus schänden, man kann seinen Kredit gefährden, man kann ihn in der Öffentlichkeit prügeln. Aber das sicherste Mittel bleibt doch immer: ihn zur Innehaltung eines abgeschlossenen Vertrages zu zwingen.

Der leidenschaftliche Widerwille der Künstler, einfach und exakt in die ökonomische Skala der Gesellschaft eingeordnet zu werden, der gereizte Widerstand der Kunstkonsumenten gegen solche Anschauung zeigt allein schon, wie richtig sie ist – wunde Punkte sind immer verdächtig, und sobald der Kranke gereizt zusammenzuckt, wenn der

81

Arzt über ein Nervenbündel fährt, ist da etwas nicht in Ordnung. Nun, hier ist etwas nicht in Ordnung.

Wir brauchen den fröhlichen Kenner. Nun ist das große Unglück, daß sich der Kenner, wenn er dem deutschen Kulturkreis angehört, meist zum Fachmann herunterentwickelt, und der ist ganz und gar fürchterlich.

Arbeiter stehen im Klassenkampf, Angestellte stehen im Gezänk der Kasten.

Der Angestellte hat keine marxistische Erkenntnis; er ist nur persönlich beleidigt. Ein denkender Arbeiter sieht in seinem Schicksal das Schicksal seiner Klasse; ein Angestellter sieht im andern nur den Konkurrenten. Im Augenblick, wo er selber eine Zulage oder gar die Handelsvollmacht bekommt, ist die Frage des Klassenkampfes für ihn entschieden.

Der Angestellte lebt von seinem kärglichen Gehalt sowie von der durch nichts zu erschütternden Überzeugung, daß es ohne ihn im Betrieb nicht gehe.

Das Ideal eines höhern Angestellten ist, so viel zu verwalten und so wenig zu tun zu haben, daß er schon beinah einem Beamten gleicht.

Aber weil es ja keine Angestellten mehr gibt, sondern ganz Deutschland einer Bodenkammer gleicht (vor lauter Leitern kommt man nicht vorwärts) – ‹leiten› sie alle, und wenn es auch nur ein kleines Mädchen an der Schreibmaschine ist, die zusammen mit ihrem Kaffeetopf gern ‹Abteilung› genannt wird; die leiten sie dann.

Man ist Generaldirektor, oder man ist es nicht. Ich glaube: jeder kann es nicht werden. Es gehört wohl eine Art innerer Würde dazu, ein gußeiserner Halt im Charakter, verbunden mit einer ganz leisen, wehen Sehnsucht nach einem verhinderten Doktortitel.

Der Chef ist schon als solcher zur Welt gekommen – denn die Karriere eines Chefs ist eine rätselhafte Sache. (Er sagt, er habe es durch eigene Tüchtigkeit so weit gebracht. Manchmal ist das wahr.) Der Chef organisiert von Zeit zu Zeit den Betrieb völlig um. Das schadet aber nichts, weil ja doch alles beim alten bleibt.

Man kommt ja nicht immer von unten her zu den großen Stellungen – man kann auch hineingesetzt werden, man kann hineinheiraten, man kann erben. Und diese guten Partien und diese Erben wollen uns nachher erzählen, sie seien bedeutend, weil alles vor ihnen, die Stellen zu vergeben haben, katzbuckelt?

Der Chef hat ganz andere Sachen im Kopf, als das Personal denkt. Vor allem denkt er gar nicht soviel an das Personal, wie das Personal annimmt. Der Chef hat seine eigene Meinung über seine Leute, meistens die richtige. Eine falsche ist ihm mit gar keinen Mitteln aus dem Gehirn zu schlagen.

Der Chef hat eine Laune (die andern haben auch eine Laune, bringen sie aber nicht ins Büro mit, sondern geben sie in der Garderobe ab).

Der Prokurist hat Klingeln auf dem Tisch, auf die er regierend drückt. Meist kommt niemand. Der Prokurist ist viel cheflicher als der Chef und handelt sämtliche Ausgaben bis zur Bewußtlosigkeit herunter.

Eine gute PS (Privatsekretärin) ist unsichtbar, unhörbar, nur wahrnehmbar, wenn sie einmal nicht da ist.

Er bekleidete nicht nur die Stellung eines Buchhalters – er war wirklich einer, war es durch und durch.

Der Registrator ist in erster Linie Abteilungsvorsteher und als solcher auf feine Sitten und Gebräuche bedacht. Er registriert die Akten um ihrer selbst willen. Er ist persönlich beleidigt, wenn jemand diese Akten nun auch einsehen will. Ihm genügt das Gefühl, daß alles in Ordnung ist.

Man braucht nichts zu sein – man muß etwas werden. Der Vorgesetzte hat immer recht. Wenn du Geld verdienst, such dir gleichzeitig eine Philosophie dazu, die dir ‹recht› gibt. Du brauchst dir nie vorzustellen, wie dem andern zu Mute ist; tu so, als ob du allein auf der Welt wärest. Es ist alles nicht so schlimm. Herrschaft verleiht Rechte, nicht Pflichten.

Er war der Kitt, mit dem das Erdenbauwerk zusammengehalten wird, der Zement der Pflicht.

Wenn einer nichts gelernt hat –: dann organisiert er. Wenn einer aber gar nichts gelernt und nichts zu tun hat –: dann macht er Propaganda.

Wenn einer von einem Amt oder einem Beamten das Wort «verantwortlich» gebraucht, frage man sogleich: «Wem –?»

Ihr Junge ist der Mensch, der seit seiner frühesten Kindheit ‹nichts dafür kann›? Der ständig, immer und unter allen Umständen, ablehnt, die Folgerungen aus seinem Verhalten zu ziehen? der die Vase nicht zerbrochen hat, die ihm hingefallen ist? der die Tinte nicht umgegossen hat, die er umgegossen hat? der immer, immer Ausreden sucht, findet, erfindet ... kurz, der eine gewaltige Scheu vor der Verantwortung hat? Ja, dann gibt es nur eines.

Lassen Sie ihn Beamten werden. Da trägt er die Verantwortung, aber da hat er keine.

Die Zentrale weiß alles besser. Die Zentrale hat die Übersicht, den Glauben an die Übersicht und eine Kartothek. In der Zentrale sind die Männer mit unendlichem Stunk untereinander beschäftigt, aber sie klopfen dir auf die Schulter und sagen: «Lieber Freund, Sie können das von Ihrem Einzelposten nicht so beurteilen! Wir sind die Zentrale ...»

Die Zentrale ist eine Kleinigkeit unfehlbarer als der Papst, sieht aber lange nicht so gut aus.

Einer hackt Holz, und dreiunddreißig stehen herum – die bilden die Zentrale.

Die Bezeichnung ‹Chefpilot› erspart einem Unternehmen etwa zweihundert Mark monatlich.

Der Laie möchte gern sehen – aber er hat kein Augenglas. Der Fachmann hat eine Brille und ist blind. Schauen können beide nicht.

Wir machen uns das Leben leichter, indem wir endlich einmal einsehen, was das ganze westliche Ausland längst eingesehen hat, daß das Leben kein «Dienst» ist und wir keine Dienstmänner.

Im Handel und Wandel kann man am schönsten den ideologischen Überbau studieren, den merkantilen und den seelischen, von dem wir so viel lesen. Die orientalischen Kaufleute sind ja wohl darin Meister: sie ‹beweisen› es dem Käufer, daß die Ware zu billig, und dem Verkäufer, daß sie zu teuer ist. Die Logik wird in den Dienst der Interessen gespannt, und wenn man sie gut einspannt: die zieht immer, den ganzen Karren. Ist man nicht ein sehr starker Logiker, dann ist man geliefert, wenn man sich darauf einläßt.

Im kapitalistischen Zeitalter erfüllt der Produzent nicht mehr die Bedürfnisse: er versucht, Bedürfnisse zu erregen, und ist stets geneigt, viel eher der Wirklichkeit als sich selbst die Existenzberechtigung abzusprechen. Schnell entschwindet wohl ein Bedürfnis; aber es dauert lange, ehe eine kapitalistische Institution zerfällt. Sie verteidigt sich und steht unerschütterlich – aus keinem andern Grunde, als weil sie nun einmal da ist.

Nationalökonomie ist, wenn die Leute sich wundern, warum sie kein Geld haben. Das hat mehrere Gründe, die feinsten sind die wissenschaftlichen.

Über die ältere Nationalökonomie kann man ja nur lachen und dürfen wir selbe daher mit Stillschweigen übergehn. Sie regierte von 715 vor Christo bis zum Jahr 1 nach Marx. Seitdem ist die Frage völlig gelöst: die Leute haben zwar immer noch kein Geld, wissen aber wenigstens, warum.

Der Wohlstand eines Landes beruht auf seiner aktiven und passiven Handelsbilanz, auf seinen innern und äußern Anleihen sowie auf dem Unterschied zwischen dem Giro des Wechselagios und dem Zinsfuß der Lombardkredite; bei Regenwetter ist das umgekehrt.

Jeden Morgen wird in den Staatsbanken der sog. ‹Diskont› ausgewürfelt; es ist den Deutschen neulich gelungen, mit drei Würfeln 20 zu trudeln.

Was die Weltwirtschaft angeht, so ist sie verflochten.

Jede Wirtschaft beruht auf dem Kreditsystem, das heißt auf der irrtümlichen Annahme, der andre werde gepumptes Geld zurückzahlen.

Wenn die Unternehmer alles Geld im Ausland untergebracht haben, nennt man dieses den Ernst der Lage.

Jede Aktiengesellschaft hat einen Aufsichtsrat, der rät, was er eigentlich beaufsichtigen soll.
   Die Aktiengesellschaft haftet dem Aufsichtsrat für pünktliche Zahlung der Tantiemen.

Phantasie haben doch nur die Geschäftsleute, wenn sie nicht zahlen können.

Und gehts gut, so ist der Kapitalist ein tüchtiger Kerl, auch zeigt dies, daß die Wirtschaft nicht auf private Initiative verzichten kann.

Gehts aber schief, so ist das ein elementares Ereignis, für das natürlich nicht der Nutznießer der guten Zeiten, sondern die Allgemeinheit zu haften hat.

Wirf den Bankier, wie du willst: er fällt immer auf dein Geld.

Wenns gut geht, wirft sich der Unternehmer in die Brust; sein Verdienst beruht auf seinem Verdienst, und weil er das Risiko getragen hat, will er auch den Hauptanteil des Gewinnes für sich.

Wenns schief geht, sind die Umstände daran schuld. Dann muß der Staat einspringen und das Defizit decken, denn Kohlengruben, Stahlwerke und die Landwirtschaft dürfen nicht Not leiden. Und sie leiden auch keine Not, weil sie notleidend sind.

Auf alle Fälle aber kann der Unternehmer nichts dafür, er trägt die Verantwortung, und wir tragen ihn.

Wenn mans im Leben zu was bringen will, muß mans zu was gebracht haben –!

Die Soziologie definiert seit ihrem Bestehen ununterbrochen sich selbst.

Soziologie ist der Mißbrauch einer zu diesem Zweck erfundenen Terminologie.

Wenn die Maschinen, die die Menschen so im Lauf der Zeit erfunden haben, nun auch noch funktionierten: was wäre das für ein angenehmes Leben –!

Es darf immerhin einmal gesagt werden, daß die Beteiligten gewöhnlich am wenigsten wissen, was die Unbeteiligten wollen – Fortschritt kommt fast immer von außen.

Gruppen sind *ein* Leib.

Ich bin die Masse. Ich bin niemand und alle. In mir bist du geborgen.

Was ich heute gewollt, habe ich morgen vergessen.

Ich falle, laufen sie auseinander, zusammen wie Laub im Wind.

Ich bin die Kraft jedes Volkes.

Werturteile über eine Gruppe sind, vom einzelnen Individuum aus gesehen, niemals ganz scharf, weil besonders heute das Individuum nicht nur Produkt und Angehöriger einer einzelnen Gruppe ist. Das Urteil wird immer nur insoweit richtig sein, als das Individuum sich der Gruppe zur Verfügung gestellt hat: also immer nur für eine Spanne Zeit in seinem Leben oder für eine Quantität psychischer Energie oder für einen Teilbezirk seines Denkens. ...

Das Urteil über seinen Stand muß ihn ungerecht dünken, weil er es instinktiv auf seine ganze Persönlichkeit statt auf den Gruppenbestandteil bezieht.

Einer Kaste kann die Verantwortung für die Untaten ihrer Angehörigen nicht ohne weiteres aufgebürdet werden. In dem Augenblick aber, wo die Kaste stillschweigend oder laut diese Untaten billigt, erklärt sie sich mit den Verbrechern solidarisch und darf nunmehr angefaßt werden, als habe sie selbst gesündigt.

An dem völkischen Teil der deutschen Industrie hängt der Vorwurf, daß sie Mörder finanziert; sie wird diesen Vorwurf lächelnd einstekken wie ihre Tantiemen. Denn noch nie haben sich diese Menschen ein Geschäft durch die ‹Moral› verderben lassen.

Niemand ist «rein sachlich»; diese Ausdrücke muß man stets in Anführungszeichen setzen. Das, was der Mensch tut, unter welchen Umständen auch immer, ist der Ausdruck seiner selbst oder der Ausdruck seiner Klasse – rein sachlich ist es nicht. Er ist nie unsachlicher, als wenn er glaubt, nur sachlich zu sein.

In der Loge sitzt der Hausbesitzer, genährt durch tausend Saugrohre von den Mietern im ganzen Theater. Warum gehen nun die nicht hin und drosseln ihm die Rohre ab? Weil sie alle, alle gern Hausbesitzer werden möchten.

Im Hund hat sich der bäuerische Eigentumstrieb des Menschen selbständig gemacht; der Hund ist ein monomaner Kapitalist. Er bewacht das Eigentum, das er nicht verwerten kann, um des Eigentums willen und behandelt das seines Herrn, als gebe es daneben nichts auf der Welt. Er ist auch treu um der Treue willen, ohne viel zu fragen, wem er eigentlich die Treue hält: eine Eigenschaft, die in manchen Ländern hoch geschätzt wird. Sie ist für den Betreuten recht bequem.

Geld will ernst genommen werden; sonst kommt es nicht zu dir.

Zusammenfassend kann gesagt werden: die Nationalökonomie ist die Metaphysik des Pokerspielers.

Hab Erbarmen, das Leben ist schwer genug

Sage mir, wie ein Land mit seinen schlimmsten politischen Gegnern umgeht, und ich will dir sagen, was es für einen Kulturstandard hat.

Wenn das Recht, das objektive Recht, soweit es Menschen zu finden wissen, nicht mehr oberste Richtschnur ist – dann fängt ein Volk an zu faulen.

Es ist wichtiger, daß in Deutschland das Rechtsgefühl wieder wachgerufen wird, als daß die Rheinprovinz deutsch bleibt.

Am vergangenen Donnerstag stand ich in Moabit da, wo die Geistigen dieses Landes so häufig und die politischen Mörder so selten stehen: auf der Anklagebank.

Jedes Verbrechen hat zwei Grundlagen: die biologische Veranlagung eines Menschen und das soziale Milieu, in dem er lebt.

Noch niemals hat sich ein Täter durch angedrohte Strafen abhalten lassen, etwas auszufressen. Glaub ja nicht, daß du oder die Richter die Aufgabe hätten, – eine Untat zu sühnen – das überlaß den himmlischen Instanzen. Du hast nur, nur, nur die Gesellschaft zu schützen. Die Absperrung des Täters von der Gesellschaft ist ein zeitlicher Schutz.

Die Beweisaufnahme reißt oft das Privatleben fremder Menschen vor dir auf. Bedenke –: wenn man deine Briefe, deine Gespräche, deine kleinen Liebesabenteuer und deine Ehezerwürfnisse vor fremden Menschen ausbreitete, sähen sie ganz, ganz anders aus, als sie in Wirklichkeit sind. Nimm nicht jedes Wort tragisch – wir reden alle mehr daher, als wir unter Eid verantworten können.

Der Angeklagte hat folgende Rechte, die ihm die Richter, meistens aus Bequemlichkeit, gern zu nehmen pflegen: der Angeklagte darf leugnen; der Angeklagte darf jede Aussage verweigern; der Angeklagte darf ‹verstockt› sein. Ein Geständnis ist niemals ein Strafmilderungsgrund –: das haben die Richter erfunden, um sich Arbeit zu sparen.

Privatbeleidigungsklagen.

Was zunächst auffällt, ist die bei fast allen Menschen einsetzende Horizontverengung, die wochenlang nur noch das ins Blickfeld treten läßt, was mit dem Streit zusammenhängt, die einzelnen Vorgänge an Wichtigkeit und Bedeutung maßlos übertreibend. Die Welt steht gewissermaßen still, weil sich Frau Karschunke mit Herrn Flußhacker in die Haare geraten ist.

Auch neigt der Prozeßführende gern dazu, von der Justiz die völlige, aber auch die völlige Vernichtung des Gegners zu erwarten und zu verlangen: Enthauptung, Stäupung auf offenem Markt, Landesverweisung und Vermögenskonfiskation wären ihm durchaus nicht zu viel ... Und auf der andern Seite ist das gerade so.

Ein vernünftiges Wort zur rechten Stunde hilft fast immer, und man kann sich weit mehr mit seinen Gegnern aussprechen, als man gemeinhin denkt. Man tuts nur nicht immer.

Wenn Sie jemand verklagen wollen, dann überlegen Sie es sich, überschlafen Sie die Sache noch einmal, und schenken Sie für das Geld, das Verfahren, Anwalt und Urteil kosten, Ihrer Familie etwas Hübsches. Sie haben mehr davon.

«Sie war», steht einmal bei Paul Morand, «schön wie die Frau eines andern.» Ich möchte das variieren: Er war energisch wie der Rechtsanwalt der Gegenpartei.

Humor und Weltklugheit helfen einem auch über die Unannehmlichkeiten eines Kleinkrieges mit dem bösen, bösen Nachbarn hinüber.

Das Mädchen Justitia spielt munter auf dem Klavier. Piano und forte, wie es trifft. Es ist ein feines Mädchen. Mild ist sie gegen Adel, Studenten, Offiziere, Nationale.

Da wird nicht zugeschlagen.

Aber gegen die Arbeiter?

Allemal.

Es gibt kein staatliches Recht des Strafens. Es gibt nur das Recht der Gesellschaft, sich gegen Menschen, die ihre Ordnung gefährden, zu sichern. Alles andere ist Sadismus, Klassenkampf, dummdreiste Anmaßung göttlichen Wesens, tiefste Ungerechtigkeit.

Maßgebend für eine Kultur ist nicht ihre Spitzenleistung; maßgebend ist die unterste, die letzte Stufe, jene, die dort gerade noch möglich ist.

Jedes Volk hat die Subalternen, die es verdient. Diese hier verdienten – sagen wir ... ein anderes Volk.

Der Fremde in Europa ist rechtlos.

Die Psychologie, wie wir sie in den meisten, also schlechten Filmen sehen, ist durchaus nicht so weltfremd, wie man denken sollte. Sie kehrt in vielen Urteilsbegründungen der Strafkammern wieder.

Er war eitel wie ein Chirurg, rechthaberisch wie ein Jurist und gutmütig wie ein Scharfrichter nach der Hinrichtung.

Wenn ein Autofahrer einen umgefahren hat und er ergreift dann die Flucht, etwa ein blutendes Kind auf der Landstraße hinter sich lassend –: das nennt die Rechtsprechung Fahrerflucht. Manche erklären solch ein gemeines Verhalten mit einem plötzlich einsetzenden Schock. Man sollte Fahrerflucht stets mit Zuchthaus bestrafen. Verantwortung muß sein – ein Autofahrer ist doch kein Generaldirektor!

Kinder dürfen nicht abgetrieben werden. Die Ehe ist unlöslich. Wo steht das? Wir alle weisen, wenn wir gar nicht mehr weiter wissen, auf sittliche Gesetze hin, die nicht mehr auf andre zurückführbar sind. Sie besagen im Grunde gar nichts: sie zeigen nur unser Gefühl an und die Richtung unsres Willens.

Für mich sorgen sie alle: Kirche, Staat, Ärzte und Richter. Ich soll wachsen und gedeihen. Neun Monate lang. Wenn aber diese neun Monate vorbei sind, dann muß ich sehn, wie ich weiterkomme. Fünfzig Lebensjahre wird sich niemand um mich kümmern, niemand. Da muß ich mir selbst helfen. Neun Monate lang bringen sie sich um, wenn mich einer umbringen will. Sagt selbst: Ist das nicht eine merkwürdige Fürsorge –?

Auf keiner Tagung des Deutschen Richtervereins ist von den Schmerzen des Volkes etwas zu hören. Jedes Volk hat die Richter, die es verdient.

Die deutsche Strafprozeßordnung liest sich im großen ganzen wie die Lieferungsverträge, die sich bei uns eingebürgert haben: was auch immer geschieht, geht zu Lasten des Bestellers, und die ausführende Firma haftet für gar nichts.

Der Mensch gönnt seiner Gattung nichts, daher hat er die Gesetze erfunden. Er darf nicht, also sollen die andern auch nicht.

Schwache Fortpflanzungstätigkeit facht der Mensch gern an, und dazu hat er mancherlei Mittel: den Stierkampf, das Verbrechen, den Sport und die Gerichtspflege.

Da haben sie uns beigebracht, was ein Werkauftrag ist und was ein Kauf ist und ein Kauf auf Abzahlung ... Es hat sich ein neues Geschäft herausgebildet.

Die Aufträge, die heute oft herausgehen und bei denen der Bestellende zunächst gar nicht daran denkt zu bezahlen, sind: Zwangsbeteiligungen an Unternehmen, die der Zwangsbeteiligte nicht kontrol-

lieren kann. Gehts gut, kann er vielleicht etwas Geld bekommen –
gehts schief, ist er der Lackierte. Überschrift: die Usance.

Der Erfinder Gustav Papenstrumpf aus Niederschöneweide hat einen
Apparat erfunden, der die gesamte Tätigkeit des IV. Reichsgerichts-
Senats automatisch verrichtet. Von der Einführung ist jedoch abge-
sehen worden; der IV. Senat macht das genau so gut wie ein Auto-
mat.

Warum feiern wir immer nur das Andenken der guten Menschen,
wie: Generale, Reichspräsidenten, Könige, Kaiser, Professoren? Warum nicht auch einmal das Andenken der bösen Menschen wie: Generale, Reichspräsidenten, Könige, Kaiser, Professoren? ... Weil wir
die Wahrheit nicht sagen dürfen. Die ewige Wahrheit, daß Menschen
gemartert, unterdrückt, gepeinigt werden, solange ein Lump sich
hinter ein Amt verkriechen darf.

Der elektrische Stuhl geht auf die Anregung *Edisons* zurück. Wie alles, was in Amerika geschieht, war auch dieses eine etwas schmierige
Konkurrenzgeschichte zwischen zwei Gesellschaften. Aber vorge-
ahnt hat diese Strafe, wie so oft, das deutsche Gemüt. In *Webers*
‹*Demokritos*›, der in der ersten Hälfte des neunzehnten Jahrhunderts
erschienen ist, heißt es im Kapitel ‹*Die Juristen und Advokaten*›:
«Die so schrecklich mißbrauchte Guillotine war eigentlich eine Erfindung der Humanität, da aber die galvanischen Versuche beweisen, daß der Kopf, den die Maschine abschlägt, noch so lange empfindet ..., wie wäre es, wenn man sich an die beliebte Elektrizität
hielte? Eine Statue der Gerechtigkeit, die ihr Schwert als Konduktor
einer geladenen Batterie von dreißig leydner Flaschen herabsenkte
auf den Missetäter, der kaum berührt tot hinstürzte, wie vom rä-
chenden Blitze des Himmels, wäre die humanste Todesart, und für
die Zuschauer dennoch vielleicht das größte Abschreckungsmit-
tel.»
Befehl ausgeführt.

Die Nation ist das achte Sakrament –!

Man ist stolz in Europa:
Deutscher zu sein.
Franzose zu sein.
Engländer zu sein.
Kein Deutscher zu sein.
Kein Franzose zu sein.
Kein Engländer zu sein.

Fahnen und Hymnen an allen Ecken.
Europa? Europa soll doch verrecken!
Und wenn alles der Pleite entgegentreibt:
daß nur die Nation erhalten bleibt!
Menschen braucht es nicht mehr zu geben.
England! Polen! Italien muß leben!
Der Staat frißt uns auf! Ein Gespenst. Ein Begriff.
Der Staat, das ist ein Ding mitm Pfiff.

Es lodern die völkischen Opferfeuer:
Der Sinn des Lebens ist die Steuer!

Die Nation ist das achte Sakrament –!
Gott segne diesen Kontinent.

Die falschen Staaten von Europa: England, Frankreich, Spanien, Ita-
lien, Ungarn, Preußen, Estland, Lettland, Rumänien, Bayern. Die
Grenzen stehen fest. Die richtigen Staaten von Europa: Arbeitslose,
Arbeitsmänner, Arbeitgeber und Nutznießer fremder Arbeit. Die
Grenzen fließen.

Daß jedes Volk seine Spezialität hat, in der es besser arbeitet als andre, ist nicht neu. Die Welt ist kein Rennplatz, und England arbeitet
weder besser noch schlechter als Deutschland, sondern anders.

Mit der Légion d'Honneur kann man vielleicht gar nichts erreichen – ohne sie noch weniger.

Man darf getrost sagen, daß sie mit dem vorgehaltenen Zentimeter von Moirée – «Komm! komm! komm!» – eine kleine Armee von Menschen hinter sich her lockt, die sie so ziemlich in die äußersten Winkel führen kann. Sie folgen. Nicht nur in den Krieg ...
   «Chevalier de la Légion d'Honneur ...» Ein mystischer Doktortitel.

Man ist in Europa ein Mal Staatsbürger und zweiundzwanzigmal Ausländer: Wer weise ist, dreiundzwanzig Mal. Ja, aber das kann man nur, wenn man in die Sparte «Nationalität» schreibt: «reich».

Das ‹Vaterland› ist der Alpdruck der Heimat.

Missionare müssen indianisch lernen – mit lateinisch bekehrt man keine Indianer.

Es ist eine Tragik, daß Frankreich und Deutschland nebeneinander liegen. Sie könnten sich ergänzen, und sie kennen sich nicht. Ihre Arbeiterklassen haben nur einen Feind, den gleichen: sie kennen sich nicht. Wie weit sind sie voneinander: zwei Seelen, zwei Landesfarben, zwei Sozialdemokratien.

Welche Hochachtung hat doch der Franzose vor der Sprache: «Il a trouvé ce mot ...» Das Wort war vorher da, der Autor hat es nur gefunden.

Die Katze ist das Irrationale, also hat sie der Deutsche nicht, wohl aber der Franzose nötig.

Die Musik der französischen Kapellen, die Jazz spielen, hört sich an, wie wenn einer mit halbwegs richtiger Aussprache Englisch vom

Blatt liest, ohne ein Wort zu verstehen. Erst, wenn sie den aktuellen Walzer aus der ‹Lustigen Witwe› zersägen, fühlen sie sich wieder im nationalen Element.

Es dürfte vielleicht bekannt sein, daß der Durchschnittsfranzose, den stammelnde Übersetzer gern den «mittlern Franzosen» nennen, keine blasse Ahnung von Geographie hat. Oslo, Koserow und Rio de Janeiro ... so genau kommt das bei ihm nicht drauf an.

In Amerika hat jeder für jeden Zeit, solange sich der kurz faßt; in Frankreich ist es gar nicht so schwer, zu den maßgebenden Männern Zutritt zu bekommen; in England denken die Leute an ihre Sache und nicht immer an ihre Person und bestimmt nicht an eine Hahnenwürde; bei uns zu Lande ist es wunder was für eine Geschichte, mit einem besser bezahlten Mann ‹persönlich› zu sprechen.

... die Amerikanerinnen sind doch unterhalb des Nabels alle aus Zelluloid –

Die Amerikaner kommen bestimmt alle in die Hölle, besonders die frommen – aber eines wird ihnen hoch angerechnet werden: das ist ihr Humor.
Im ‹Life› neulich: Da sitzen zwei Kaufleute schluchzend am Schreibtisch und lesen und kramen in Skripturen. Was tun sie –? Sie sehen sich die alten Orders aus dem Jahre 1928 an.

Das Englische ist eine einfache, aber schwere Sprache. Es besteht aus lauter Fremdwörtern, die falsch ausgesprochen werden.

Es muß doch etwas geben, das allen Menschen gemeinsam ist. Das gibts auch. Der wildeste Nazi, der fanatischste Pole, der gläubigste Katholik, der wütendste Franzosenhasser, drei Dinge können sie unbedenklich benutzen: Logarithmentafeln, Klosettpapier und den Rundfunk.

Jeder Mensch hat eine Leber, eine Milz, eine Lunge und eine Fahne; sämtliche vier Organe sind lebenswichtig. Es soll Menschen ohne Leber, ohne Milz und mit halber Lunge geben; Menschen ohne Fahne gibt es nicht.

Zur Rassenfrage. Die Blonden sind ganz umgängliche Menschen. Aber die Dunkeln, die gern blond sein möchten ...!

Der Mensch ist ein Wirbeltier und hat eine unsterbliche Seele sowie auch ein Vaterland, damit er nicht zu übermütig wird.

Über die Familie der Zukünftigen muß man sich erkundigen. Der Berliner fragt auf der Börse, der Engländer im Club, der Franzose befragt seine Concierge, der Wiener erkundigt sich im Caféhaus, und der Ungar haut auf alle Fälle seinem besten Freund ein paar hinter die Ohren.

Nach dem Sündenfall vergißt der Franzose eine Frau, der Engländer heiratet sie, der Rumäne verschafft ihr einen Mann, der Deutsche fängt einen Prozeß mit ihr an, und der Amerikaner heiratet sie vorher.

In Spanien gründeten sie einmal einen Tierschutzverein, der brauchte nötig Geld. Da veranstaltete er für seine Kassen einen großen Stierkampf.

Ein Löwe fraß einmal einen durch sein Gebiet reisenden Russen. Als der im Bauch angelangt war, bewies er dem Tier haarscharf, daß es ein Unrecht sei, Menschen zu fressen. Der Russe hatte recht. Der Löwe hatte verdaut.

Ein Rumäne lag im Sterben. Da bekam er die heiligen Sakramente. Als er den Weihkessel, die Hand des Priesters und das Andre ganz nahe hatte, flüsterte er: «Houbigant, Quelques fleures. Und etwas Olivenöl.» Und verschied.

Vom Nationalstolz. Einem Norweger wurde in Kopenhagen der dikke, runde Turm gezeigt, in dessen Innern man auf einer spiralförmigen Rampe mit Pferd und Wagen hinauffahren kann. «Habt ihr so etwas auch in Norwegen?» wurde er gefragt. «Nein», sagte der Mann aus Oslo beleidigt. «Aber wenn wir so einen Turm hätten, dann wäre er höher und runder!»

Wenn ein kluger Wiener über einen Gegenstand spricht, denkt man immer, er habe ihn bis auf den Grund studiert – er hat aber meist nur zugesehen, wie ihn ein andrer studiert hat.

Die Balten sind die Apotheker Europas – sie haben durchweg einen Sparren. In Ascona wohnte einer, der hatte nie eine Uhr im Hause. In einem Dörfchen, vier Kilometer davon, war eine Turmuhr, die konnte man mit bloßem Auge kaum erkennen. Da kaufte sich der Balte für teures Geld ein Fernrohr und las die Zeit ab.

Einmal machten die Völker einen Wettbewerb: wer am weitesten sehen könne.
Der Franzose sah bis zum nächsten Arrondissement. Der Engländer sah über die ganze Welt, sie spiegelte ihn. Der Berliner sah vom Kurfürstendamm über die Spree hinweg bis zum Alexanderplatz und glaubte, was dazwischen läge, sei Amerika und der Atlantische Ozean. Der Wiener sah gar nicht hin: er las einen herrlichen Beleidigungsprozeß in seiner Zeitung.

Unter der gleichen Tünche von Religion, Telefon, Kino, Presse und Polizei offenbaren die europäischen Staaten in der Tiefe ihre eigentlichen Charaktere: Golf, Stierkämpfe, Ordensbändchen, Skat, Theaterklatsch und Paprika. Über die Religion und die andern abstrakten Dinge läßt sich handeln – in diesen Nationaleigentümlichkeiten sind die Vereine von unnachgiebiger strenger Individualität.

Man kann sich einen Franzosen vorstellen, der englisch spricht. Man kann sich auch einen Amerikaner vorstellen, der amerikanisch spricht. Man kann sich zur Not einen Engländer vorstellen, der französisch spricht. Ja, man kann sich sogar einen Eskimo vorstellen, der italienische Arien singt. Aber einen Neger, der sächselt: das kann man sich nicht vorstellen.

In einem Hotel waren einst je fünfzig Angehörige aller Länder versammelt.

Die Engländer sah man. Die Deutschen hörte man. Die französischen Köche schmeckte man. Und als es nach Knoblauch roch, da stritten sich zwölf Nationen um die Ehre.

Die meisten Antisemiten sagen viel mehr über sich selber aus als über ihren Gegner, den sie nicht kennen.

Wäre ich Antisemit –: ich schämte mich solcher Bundesgenossen.

Der Jude ist die Zirbeldrüse im Völkerorganismus. Niemand weiß, wozu sie eigentlich da ist – aber herausschneiden kann man sie nicht.

Warum packt ihr den Juden nicht da, wo er wirklich zu fassen ist! In seiner engen Ichbezogenheit; in seiner ewigen Empfindlichkeit, die ihn aufschreien läßt, wenn ihm einmal einer die Wahrheit sagt; in seinem Aberglauben, welcher annimmt, der, der schneller denke, sei klüger als der, der langsam denke; in seiner wahnwitzigen Eitelkeit, die besonders für Deutschlands Fluren die jüdische Klugheit nur aus einem Grunde hat statuieren können: weil die andern meist noch dümmer sind. In der Levante oder gegenüber den Schotten hat der Jude nichts zu melden – die stecken ihn alle Tage in den Sack des Handels.

Waren die Dummen früher konfessionslos gefärbt, so schimmern sie heute in allen Farben der Nationalfahnen, die den Kontinent bis zur Geistesschwachheit verdummen. Französische Dummheit schmeckt anders als englische.

Es ist wohl so, daß die Triebe im Menschen schlummern, eine dösende Wache. Anonym sind sie. Wenn sie aber ans Licht treten, nehmen sie einen Namen an. Sehr beliebt ist heute: Nationalismus.

Je kleiner das Land, desto größer und stärker das Nationalgefühl.

Die menschliche Dummheit ist international.

Nichts dümmer, nichts kurzstirniger, nichts ungebildeter als ein Patriot. Und wenn dich einer fragt, ob du deine Heimat liebst, einfach so für dich – dann antworte ihm mit der schönen Antwort, die Julius Bab einmal gegeben hat: «Kann ich mein Blut, mein Haar, mich selber lieben?» Wenn er dich aber fragt, ob du ein Patriot seist – dann hau ihm eins hinter die Ohren.

Im Patriotismus lassen wir uns von jedem übertreffen – wir fühlen international. In der Heimatliebe von niemand – nicht einmal von jenen, auf deren Namen das Land grundbuchlich eingetragen ist. Unser ist es.

Der Staat schere sich fort, wenn wir unsere Heimat lieben.

Jeder hält seinen Laden für den allerwichtigsten und ist nicht gesonnen, auch nur den kleinsten Deut nachzugeben. Zunächst einmal und zum Anfang ziehen wir eine Demarkationslinie. Wir trennen uns ab. Wir brauchen eine Grenze. Denn wir sind eine Sache für sich.

Eine Erde aber wölbt sich unter den törichten Menschen, *ein* Boden unter ihnen und *ein* Himmel über ihnen. Die Grenzen laufen kreuz und quer wirr durch Europa. Niemand aber vermag die Menschen auf die Dauer zu scheiden – Grenzen nicht und nicht Soldaten –, wenn die nur nicht wollen.

Ozean der Schmerzen

Wenn übermorgen wegen des polnischen Korridors oder wegen des Saargebiets oder wegen sonst einer Frage, die für die Nation von Belang sein kann, ein Konflikt ausbricht, so wird diese Art Republikaner, ohne Ausnahme, der Hypnose des Nachrichtendienstes unterliegen, weil keine ideologische Impfung sie davor schützt. Sie werden besinnungslos umknicken. Und es stehe hier, zum Nachschlagen:

Dieselben Phrasen, mit denen Deutschland 1914 in den Krieg getaumelt ist, werden dann zu lesen und zu hören sein; dieselbe Denkart wird Siege erträumen, wo nur Aktienkonsolidierung und menschliches Elend zu holen ist, Erweiterung der Beamtensphäre und Befriedigung von Kasteneitelkeit – dieselbe falsche Philosophie und wirtschaftliche Ignoranz wird alle zu Etat-Bewilligern machen und noch die widerwärtigsten Militärverbrechen bejahen, weil die ‹dienstlich notwendig› sind. Brave Kinder.

Man sage doch nicht, daß ‹Deutschland den Krieg nicht wolle›! Erstens gibt es genug Leute, die die Erneuerung dieses Verbrechens wünschen – und zweitens ist es ja grade jener ‹unpolitische› Typus, der so gefährlich ist. Diese ‹Unpolitischen› («Wissen Se – ich kümmer mich nicht um Politik! Ich will Ordnung und Ruhe, und jeder soll haben, was ihm zukommt, und bei mir im Geschäft soll alles klappen!») – grade diese sind Mitläufer, Handlanger und Bejaher der schlimmsten Untaten, wenn sie nur reglementsmäßig geschehen. Und sie geschehen. Wir werden das, zum zweiten Mal, erleben.

Da leben diese Vereine, von denen jeder eine Fahne, aber keiner einen Funken Anstand hat, von metaphysischen Fiktionen, betrügen einander und werden betrogen, präparieren Mord und sühnen mit Totschlag, wenn sie einer daran hindern will, verkörpern die Sittlichkeit mit den gemeinsten Mitteln und hindern Europa, Europa zu sein. Denn was ist es jetzt? Ein Vaterlandskomplex mit Ladehemmungen, mit einer Fahne als Totem und Banken als Tabu, Urhorden, die ihre Kinder auffressen, Staaten, deren wahrhafter Ausdruck ihre Generale sind: bunt, dämlich, von den Kaufleuten dotiert und mit einer Verantwortungslosigkeit, die ihren Wunsch, zu töten, auf die andern transponiert, die getötet werden.

Wir gehen nicht den Weg des Friedens. Es ist nicht wahr, daß freundliche Gespräche am Genfer See den Urgrund künftiger Kriege aus dem Wege räumen werden: die freie Wirtschaft, die Zollgrenzen und die absolute Souveränität des Staates. Die Kinder unsrer bekanntesten Männer haben alle Aussicht, unbekannte Soldaten zu werden. Deutschland hat nicht nötig, sich in eine Monarchie zu verwandeln – diese Republik tut es auch, und viel gefährlicher als bärtige Wotan-Anbeter sind die philosophischen Verfechter eines schwarz-rot-goldenen Befreiungskampfes. Wir stehen da, wo wir im Jahre 1900 gestanden haben. Zwischen zwei Kriegen.

Wir gehen nicht den Weg des Friedens. Was sich jetzt, hinter den Kulissen, zu verbrüdern beabsichtigt, sind leider nicht die besten Teile der Völker – es sind ihre schlechten: Industrie-Raffer und die Militärs.

Und als es vorbei war, als die Kaufleute und die dummschlauen Diplomaten Halali bliesen («Hirsch tot!»): da liefen sie alle auseinander, zwängten sich in den Zivilkragen – und nun ist es keiner gewesen. Jeder hat die Verantwortung getragen, jeder hat nur die Reglements befolgt, jeder hat nur die Reglements ausgearbeitet, die nötig waren – «Sie glauben nicht, wie nötig!» –: keiner konnte dafür. «Es mögen Fehler vorgekommen sein ...»
   Aber man muß den ordensgeschmückten Rechnungsräten, die sich heute noch Generale nennen, sagen, daß sie unumschränkter geherrscht haben, als Gott es jemals getan. Der ist vor sich selbst verantwortlich – sie nicht einmal jenen kindlichen Untersuchungsausschüssen, die es in die Akten schreiben und es dabei bewenden lassen. Und jeder kleine Geometer, Rechtsanwalt, Kaufmann, Ingenieur: sie sind alle nur mitgelaufen, sie haben in der Notwehr gehandelt, sie konnten nicht anders – und sie bereuen nicht.

Hat man eigentlich schon einmal von einem Friedensvertrag gehört, der dem besiegten Volk nicht aufgezwungen worden ist? Hat je ein Besiegter die ihm auferlegten Bedingungen für gerecht gehalten? Führen die in Anarchie lebenden Staaten deshalb kostspielige Kriege, um nachher das Resultat in einer Konferenz Gleichberechtigter festzusetzen?

Hat denn schon irgend jemand einen Friedensvertrag unter anarchisch lebenden kapitalistischen Staaten gesehen, in denen der Besiegte etwas ungezwungen aufgegeben hat? Natürlich ist der Vertrag von Versailles ein Friedensvertrag wie alle andern in der Weltgeschichte auch – von Recht und solch schönen Vokabeln kann gar keine Rede sein. Die Gewalt hat gesprochen. Paßt euch nicht? Dann müßt ihr keine Kriege anfangen. Wer riskiert, kann auch verlieren. Ihr aber seid schlechte Verlierer.

Die Deutschen haben mit ihren Gegnern, mit den Rumänen und den Russen, genau dasselbe gemacht, was Versailles mit den Deutschen gemacht hat. Wozu führt man auch sonst Krieg? Um den Gegner möglichst zu schwächen. Die Deutschen haben mit den Franzosen und den Engländern genau dasselbe machen wollen, was die später mit ihnen gemacht haben; das zeigen die zahlreichen Forderungen der Wirtschaftsführer und besonders der Schwer-Industrie während des Krieges.

Unser Leben gehört uns. Ob wir feige sind oder nicht, ob wir es hingeben wollen oder nicht –: das ist unsre Sache und nur unsre. Kein Staat, keine nationale Telegrafenagentur hat das Recht, über das Leben derer zu verfügen, die sich nicht freiwillig darbieten. Und so gewiß der nächste Nationalkrieg unter den Farben Schwarz-Rot-Gold geführt werden wird, so gewiß diese mannhaften Republikaner aufstehen werden wie ein Waschweib, die Belange des Staats der andern zu schützen: so nötig ist es, den Antimilitarismus rein zu halten von Kompromißlern. Deine Rede sei Ja – Ja oder Nein – Nein; was darüber ist, gehört in den Verlag Eugen Diederichs.

Gibt es eine Zeitung, die heute noch, immer wieder, ausruft: «Wir haben geirrt! Wir haben uns belügen lassen!»? Das wäre noch der mildeste Fall. Gibt es auch nur eine, die nun den Lesern jahrelang das wahre Gesicht des Krieges eingetrommelt hätte, so, wie sie ihnen jahrelang diese widerwärtige Mordbegeisterung eingebleut hat? «Wir konnten uns doch nicht beschlagnahmen lassen!» Und nachher? Als es keinen Zensor mehr gab? Was konntet ihr da nicht? Habt ihr einmal, ein einziges Mal nur, wenigstens nachher die volle, nackte, verlaust-blutige Wahrheit gezeigt? Nachrichten wollen die Zeitungen, Nachrichten wollen sie alle. Die Wahrheit will keine.

Meinen Ausspruch: «Die Toten des Weltkrieges sind für einen Dreck gefallen», möchte ich modifizieren.

Sie sind für die ‹Deutsche Zeitung› gefallen.

Das empfinde ich jedesmal, wenn ich durch Basel komme. Der vollkommene Wahnwitz des Krieges muß doch jedem aufgegangen sein, der da etwa im Jahre 1917 auf diesem Bahnhof gestanden hat. Da klirrten die Fensterscheiben; da murrten die Kanonen des Krieges herüber; wenn du aber auf diesem Bahnhof einem Beamten auf den Fuß tratest, dann kamst du ins Kittchen. Hier durftest du nicht. Dort mußtest du. Und wer dieses Murren der Kanonen hörte, der wußte: da morden sie. Da schlagen sie sich tot. Ein halbes Stündchen weiter – da tobte der Mord. Hier nicht.

Die Grenze aber ist ein scharfer, punktierter Strich. Und hinter dieser Grenze gehn sie aufeinander los, die Deutschen und die Engländer, immer ganz genau an der Grenze entlang, ... und keinen Millimeter drüber.

Man hat ja noch niemals versucht, den Krieg ernsthaft zu bekämpfen. Man hat ja noch niemals alle Schulen und alle Kirchen, alle Kinos und alle Zeitungen für die Propaganda des Krieges gesperrt. Man weiß also gar nicht, wie eine Generation aussähe, die in der Luft eines gesunden und kampfesfreudigen, aber kriegsablehnenden Pazifismus aufgewachsen ist. Das weiß man nicht. Man kennt nur staatlich verhetzte Jugend.

Dieselben Kartoffeln; dieselben Kapitalisten. Aber andere Röcke. Das ist der Krieg.

Wie wir hören, ist der Vorschlag künftighin auf Botschafterposten nur noch Bürgerliche und in die Schützengräben nur noch Adlige zu schicken, wieder zurückgezogen worden. Es bleibt bei der alten Verteilung.

«Der Krieg», hat einmal ein sterbender französischer Offizier gesagt, «ist eine viel *zu* ernste Sache, als daß man ihn den Militärs anvertrauen könnte.»

In Europa ist viel über den Krieg nachgedacht worden. Die Engländer taten es vorher, die Franzosen während des Krieges, die Deutschen nachher.

Die Dänen sind geiziger als die Italiener. Die spanischen Frauen geben sich leichter der verbotenen Liebe hin als die deutschen. Alle Letten stehlen. Alle Bulgaren riechen schlecht. Rumänen sind tapferer als Franzosen. Russen unterschlagen Geld. Das ist alles nicht wahr – wird aber im nächsten Kriege gedruckt zu lesen sein.

Du schießt drüben immer den Kamerad Werkmeister tot – niemals den einzigen Feind, den du wirklich hast. Dein Blut verströmt für Dividende. Dein bißchen Sterben, dein armseliges Verrecken wird mühsam mit der Gloriole von Romantik umkleidet, erborgt aus den Emblemen von Jahrhunderten, entliehen aus verschollenen Zeiten. Wirf deine Flinte weg, Mensch! Es wird immer Kriege geben? Solange du willst, wird es sie geben. Nagle dir diese Bilder an die Wand, zeig deinen Kindern, was das für eine Schweinerei ist: der Krieg; was das für eine Lüge ist: der Krieg; was das für ein Wahnsinn ist: der Krieg.

Das Soldatenelend und mit ihm das Elend aller ‹Untergebenen› in Deutschland – war keine Angelegenheit der politischen Überzeugung: es war eine der mangelnden Kultur.

Mangel an Selbstbeherrschung, Eigennutz, Unterwürfigkeit nach oben und Roheit nach unten: das waren die Kennzeichen des deutschen Offiziers. Nach einem kurzen Novemberschock steckten die die Helmspitzen wieder hervor. Hier ist die Kardinalfrage der Jugenderziehung, hier der Kernpunkt unsres öffentlichen Lebens. Es liegt an euch. Tötet das deutsche Militär –: und ihr habt eine deutsche Kultur.

Traurig genug, daß dieses Volk seinen gottverfluchten Militarismus erst los werden wird, wenn ihm die Sieger das Waffentragen verbieten. Die wollen für sich, und sie wirken für uns.

Wer sich in seiner Straße nicht durchsetzen kann, weil er einen Buckel hat, der zieht sich eine Uniform oder einen Titel an –: Alle sehen nur noch die Uniform, niemand sieht den Buckel . . .

Es gibt eine Flucht in die Uniform. Die Uniform wird zum Visier, in dem man die Furcht nicht sieht, gibt sie Schutz und inneren Halt. Weggelaufenes Zivil.

Eine Katze, die eine Maus tötet, ist grausam. Ein Wilder, der seinen Feind auffrißt, ist grausam. Aber das grausamste von allen Lebewesen ist eine patriotische Frau.

Das Entarteste auf der Welt ist eine Mutter, die darauf noch stolz ist, das, was ihr Schoß einmal geboren, in Schlamm und Kot umsinken zu sehen.

Wie schön, vor Frauen befehlen zu dürfen! Der Pfau schlägt zum selben Behufe ein Rad.

In der jetzigen Vorkriegszeit herrscht zwischen den Geistigen aller Staaten eine Pen-Club-Atmosphäre, die der Luft in einer sehr guten Kinderstube gleicht: nie reden mehr zugleich als drei, es herrscht gesittete Fröhlichkeit, und zwischendurch schmieren sie sich den Bildungsbrei um die Münder. Die Papas stehen dabei und lächeln und lassen die Kindlein gewähren. Sie wissen: wenns los geht, gehts los, da ist nichts zu befürchten. Sie werden sich schlagen, wie sich ihre Väter geschlagen haben, oder sie werden still und vornehm ins Zimmer stilisieren.

Die geistige Militarisierung Deutschlands macht Fortschritte wie nie zuvor – nur die Form hat gewechselt. Was früher dümmlich und dickfäustig für Bauernjungen zurechtgehauen wird, ist heute aus bestem Stahl, biegsam, wesentlich moderner.

Die geistige Militarisierung, der fast alle Parteien hemmungslos unterliegen, ist unsittlich, verabscheuenswert und infam. Sie wird ihre blutigen Früchte tragen – und auch das nächste Mal wird niemand, niemand schuld sein.

Militarismus im Dienst einer hochstehenden Idee ist schon keine Freude. Militarismus für die niedere Idee des Patriotismus ist ein Verbrechen an der Menschheit, auch dann, wenn er Individuen in Bewegung setzt, die das Joch masochistisch auf sich nehmen, um die letzten Gelüste zu befriedigen, die das Menschentier in sich trägt: sich rauschartig an eine Gruppe zu verlieren und unter Mißbrauch der Gruppengewalt Macht über andre auszuüben.

Ein General ist ein Soldat, der seine Schlachten mit gezogenem Telefonhörer schlägt.

Ein ertappter Spion ist ein Schuft. Ein erfolgreicher Spion ist ein heimlicher Held. Man wird kein Spion – man ist einer.

Jede Glorifizierung eines Menschen, der im Kriege getötet worden ist, bedeutet drei Tote im nächsten Krieg.

Das wird im nächsten Krieg ein reizvolles Schauspiel sein: die Rotarier-Klubleute der gegnerischen Länder zu sehn, wie sie als gute Patrioten treu zu ihren Fahnen stehn, bedauernde, aber grundsätzliche Erklärungen loslassen, und dennoch – und das tröstet ungemein – auch fürderhin gute Rotarier sein und bleiben werden.
    Aber machen das schließlich die Katholiken anders –?

Daß Berufssoldaten berufsmäßige Gegner des Pazifismus sind, darf uns nicht wundern und ist verständlich; das ist immer so gewesen. Obgleich es ja seltsam anmutete, wenn etwa Feuerwehrleute jene bekämpften, die die Entstehung von Bränden verhüten wollten ... diese Soldaten haben sich niemals als eine Feuerwehr gefühlt, die man im Augenblick der Gefahr ruft, sondern immer als Selbstzweck.

Greift einer den Militarismus, eine große Zeitung oder Moskau an, dann wird unter den Schlägen der Verteidigung ein Stöhnen hörbar: «Er hat Gott gelästert!» Vorwurfsvolle Augen klappen zum Himmel auf: Eigentlich brauchten wir uns ja gar nicht wehren ... denn er hat Gott gelästert.

Die stupide Anschauung Ernst Jüngers, Kampf sei das Primäre, das Eigentliche, wofür allein zu leben sich verlohne, steht auf ähnlichem Niveau wie die eines falschen Friedensfreundes, der jeden Kampf verabscheut und für Kamillentee optiert. Weder ewiger Kampf ist erstrebenswert noch ewige Friedfertigkeit. Nur Krieg ... das ist eine der dümmsten Formen des Kampfes, weil er von einer recht unvollkommenen Institution und für sie geführt wird.

Da es keinen Staat gibt, für den es zu sterben lohnt, und erst recht keine Prestigefrage dieser größenwahnsinnigen Zweckverbände, so muß Symbol für Symbol, Äußerlichkeit für Äußerlichkeit, Denkmal für Denkmal umkämpft, erobert, niedergelegt werden.

Der Krieg war ein Kollektivverbrechen in Reinkultur.

Für einen anständigen Menschen gibt es in bezug auf seine Kriegshaltung überhaupt nur einen Vorwurf: daß er nicht den Mut aufgebracht hat, Nein zu sagen.

Die Siegesgöttin ist nach verlorenen Kriegen ein Friedensengel.

Solch ein friedliches Land –! Da tragen die Polizisten noch Säbel.

Das französisch-deutsche Rapprochement vollzieht sich unter einer Handvoll Gebildeter; schießen dürfen nachher die Arbeiter. Sie tun es auch. Denn sie kennen einander nicht und lernen einander erst sterbend oder in der Gefangenschaft kennen. Ein sehr nahes Rapprochement verwirklicht sich, wenn man so weiter macht, immer nur in den Ackergräben. Schade um jeden Pfennig, den man an diesen Unfug wendet.

Die Militaristen irren. Es ist gar nicht die Aufgabe der Pazifisten, sie zu überzeugen – sie sollen vielmehr in einem Kampf, der kein Krieg ist, besiegt, nämlich daran gehindert werden, über fremdes, ihnen nicht gehöriges Leben zu verfügen. Man mache sie unschädlich; einzusehen brauchen sie gar nichts. Ich bin für militaristischen Pazifismus.

«Er lebte wie Gott in Frankreich.» Man sollte das abändern und sagen: «Er lebte wie ein deutscher Divisionskommandeur in Frankreich.»

Gibt es denn nicht wenigstens ein paar Tausend in Europa, die unberührt davon bleiben, wenn sich die Unteroffiziere ihrer Länder in die fettigen Haare geraten? Muß uns das berühren, daß die Stahlindustrie des einen Landes die Kohlen des andern braucht?

Streicht eure lächerlichen Grenzpfähle doch nicht so feierlich an! Setzt drauf: Müllers Fettvaseline ist die beste! Das käme der Wahrheit schon wesentlich näher.

... aber uns bleibt die harte Arbeit, Grenzpfähle zu zerschlagen, auf denen das einzig Wetterfeste die Ölfarbe ist, und einer europäischen Menschheit immer wieder zu zeigen, zu wessen Nutzen sie sich in metaphysisch zusammengekleisterte Klumpen ballt.

Der Justizminister kann bei einer Kompetenzstreitigkeit schon einmal nachgeben; der Kompagniefeldwebel unter gar keinen Umständen.

Die Zahl der deutschen Kriegerdenkmäler zur Zahl der deutschen Heine-Denkmäler verhält sich hierzulande wie die Macht zum Geist.

Im übrigen ist Militärjustiz in allen Fällen vom Übel: nicht nur, weil sie vom Militär kommt, sondern weil sie sich als Justiz gibt, was sie niemals sein kann.

Der französische Soldat ist ein verkleideter Zivilist, der deutsche Zivilist ist ein verkleideter Soldat.

Diese Kerle haben ja, wenns schief geht, zwei Ausreden, die sie durch die ganze Weltgeschichte begleiten: entweder sie haben nur Befehle ausgeführt oder sie haben nur Befehle erteilt. Und dafür trägt man doch keine Verantwortung!

Wir sind nicht befugt, zu urteilen. Wir sind nicht ermächtigt, ihn einzusperren, mit seiner Person bezahlen zu lassen, die Haftung zu fordern. Wir nicht. Er trägt die «Verantwortung». Die Geschichte wird richten.

Wer ist der Rohe: der die Wahrheit über den Krieg sagt, oder der die Unschuldigen in den gemeinsten Tod hetzt, den die Menschheit erfunden hat?

Im Grünen fings an und endete blutigrot. Und wenn sich der Verfasser mit offenen Armen in die Zeit gestürzt hat, so sah er nicht, wie der Historiker in hundert Jahren sehen wird, und wollte auch nicht so sehen. Er war den Dingen so nahe, daß sie ihn schnitten und er sie schlagen konnte. Und sie rissen ihm die Hände auf, und er blutete, und einige sprachen zu ihm: «Bist du gerecht?» Und er hob die blutigen Hände – blutig von seinem Blute – und zuckte die Achseln und lächelte. Denn man kann über alles lächeln ...

Was darf die Satire –?

Die Satire ist nur die Konkav-Ansicht eines Gemüts; wenn es nach hinten nicht buckelt, klafft vorn keine Höhlung, und das Ganze bleibt platt.

Zitate:
> Genießt der Jüngling ein Vergnügen,
> so sei er dankbar und verschwiegen –

ist nicht von Wilhelm Busch.

> Es wandelt niemand ungestraft unter Palmen

steht nicht in Lessings «*Nathan*».

> Die Staatsgewalt geht vom Volke aus ...

das steht allerdings in der Reichsverfassung.

Am deutschen Reichstag hängt oben am Kopf eine Tafel:
DEM DEUTSCHEN VOLKE!

Der Satiriker ist ein gekränkter Idealist: er will die Welt gut haben, sie ist schlecht, und nun rennt er gegen das Schlechte an.

Der echte Satiriker, dieser Mann, der keinen Spaß versteht, fühlt sich am wohlsten, wenn ihm ein Zensor nahm, zu sagen, was er leidet. Dann sagt ers doch, und wie er es sagt, ohne es zu sagen – das macht schon einen Hauptteil des Vergnügens aus, der von ihm ausstrahlt. Um dieses Reizes willen verzeiht man ihm vielleicht manches, und verzeiht ihm um so lieber, je ungefährlicher er ist, das heißt: je weiter die Erfüllung seiner Forderungen von der Wirklichkeit entfernt liegt.

Jedes Ding hat zwei Seiten – der Satiriker sieht nur eine und will nur eine sehen. Er beschützt die Edlen mit Keulenschlägen und mit dem Pfeil, dem Bogen. Er ist der Landsknecht des Geistes.

Die echte Satire ist blutreinigend: und wer gesundes Blut hat, der hat auch einen reinen Teint. Was darf die Satire? Alles.

Übertreibt die Satire? Die Satire muß übertreiben und ist ihrem tiefsten Wesen nach ungerecht. Sie bläst die Wahrheit auf, damit sie deutlicher wird, und sie kann gar nicht anders arbeiten als nach dem Bibelwort: Es leiden die Gerechten mit den Ungerechten.

Die Satire beißt, lacht, pfeift und trommelt die große, bunte Landsknechtstrommel gegen alles, was stockt und träge ist.

Wenn einer bei uns einen guten politischen Witz macht, dann sitzt halb Deutschland auf dem Sofa und nimmt übel.

Es wehte bei uns im öffentlichen Leben ein reinerer Wind, wenn nicht alle übel nähmen.

Der deutsche Satiriker tanzt zwischen Berufsständen, Klassen, Konfessionen und Lokaleinrichtungen einen ständigen Eiertanz. Das ist gewiß recht graziös, aber auf die Dauer etwas ermüdend.

Satire hat eine Grenze nach oben: Buddha entzieht sich ihr. Satire hat auch eine Grenze nach unten. In Deutschland etwa die herrschenden faschistischen Mächte. Es lohnt nicht – so tief kann man nicht schießen.

Das ist Humor: durch die Dinge durchsehen, wie wenn sie aus Glas wären.

Humor ruht oft in der Veranlagung von Menschen, die kalt bleiben, wo die Masse tobt, und die dort erregt sind, wo die meisten «nichts dabei finden».

Die Welt verachten – das ist sehr leicht und meist nur ein Zeichen schlechter Verdauung. Aber die Welt verstehen, sie lieben und dann, aber erst dann, freundlich lächeln, wenn alles vorbei ist –: das ist Humor.

‹Humor› hat fast gar nichts mit Witz zu tun – noch weniger mit dieser schrecklichen Kneipenseligkeit, die man als ‹deutschen Humor› ausschenkt. Wenn ich mein Latein nicht ganz vergessen habe, hängt die Urbedeutung des Wortes mit dem Begriff ‹Feuchtigkeit› zusammen. Sie sind trocken – trocken sind sie.

Dieser ‹Deutsche Mensch› hat den tierischen Ernst einer Kuh, eines Hundes, eines Möbelstücks. Dergleichen lacht nicht. Von Selbstironie, diesem seltenen Artikel, will ich gar nicht reden. Aber man betrachte einmal dieses Pathos von der Nähe, auf die Nähte hin – wie das klafft, wenn man dran wackelt, wie das reißt!

Humor ist ein Element, das dem deutschen Menschen abhanden gekommen ist.

Nie zuckt der ‹deutsche Mensch› so zusammen, wie wenn man ihn fragt, welchem Zweck denn der vielzitierte Spektakel in seiner Seele eigentlich diene.

Chaplin hat Hitler um leihweise Hergabe seines Schnurrbarts gebeten. Die Verhandlungen dauern an.

Wenn bei uns die Ideen populär werden, dann bleibt die Popularität, die Idee geht gewöhnlich zum Teufel.

Die verschiedenen Schichten des Bürgertums kristallieren bestimmte Axiome, deren sich die Axiomträger nicht immer bewußt sind.

Die Axiome, von denen ich spreche, sind Glaubenssätze, hingenommen in absolutem Gehorsam, ehern errichtet, für das ganze Leben Geltung habend.

Wenn man Rhabarber nachzuckert, wird er sauer. (Dieser Satz ist völlig unsinnig; er ist durch ein Mißverständnis entstanden, also unausrottbar.)

Kommunismus ist, wenn alles kurz und klein geschlagen wird. In Rußland werden die Frauen vergewaltigt, sie haben eine Million Menschen ermordet. Die Kommunisten wollen uns alles wegnehmen.
(Frau Pagel, Guben, Ehefrau des Buchhalters Pagel)

Kommunismus ist, wenn alles kurz und klein geschlagen wird. Die Kommunisten wollen uns alles wegnehmen, wo man sich Stück für Stück so mühsam zusammengekauft hat. Arbeiter muß es natürlich geben, und man soll sie auch anständig behandeln. Am besten ist es, wenn man sie nicht sieht.
(Frau Rechtsanwalt Margot Rosenthal)

Ich denke mir die Hölle so, daß ich unter der Aufsicht eines preußischen Landgerichtsdirektors, der nachts von einem Reichswehrhauptmann abgelöst wird, in einem Kessel koche – vor dem sitzt einer und liest mir alte Leitartikel vor. Neben dieser Vorrichtung aber steht ein Hundezwinger, darin stehen, liegen, jaulen, brüllen, bellen und heulen zweiundvierzig Hunde. Ab und zu kommt Besuch aus dem Himmel und sieht mitleidig nach, ob ich noch da bin – das stärkt des frommen Besuchers Verdauung. Und die Hunde bellen...!

Lieber Gott, gib mir den Himmel der Geräuschlosigkeit. Unruhe produziere ich allein. Gib mir die Ruhe, die Lautlosigkeit und die Stille. Amen.

Aber so ist es oft im menschlichen Leben:
    Die einen glauben von den andern, sie hätten Mäuse im Keller; doch wenn sie sich in ihren eigenen bemühen wollten: da quiekt es nicht schlecht. Aber wer wird denn in seinen eigenen Keller gehen –!

Der Städter ist ein armes Luder. Zu essen bekommt er, was ihm die Händler geben, es wird nicht sauberer durch die Hände, die es passiert; vom Grund und Boden weiß er nur, daß er den andern, immer den andern gehört, und widerstandslos erduldet er die satanische Komik von Grundstücksspekulanten, die mit der Haut der Erde handeln, unter die man sie – sechs Fuß tief – herunterläßt, wenn alles vorbei ist, und in deren wahre Tiefen niemand dringt; unfrei ist der Städter, gebunden an Händen, Füßen, Valuta, Schullesebuch und Vaterland. Aber eine Freiheit hat er, nimmt er sich, mißbraucht er – einmal besauft sich der Sklave und spielt torkelnd den Herrn. Er macht Radau.

Sie malen und malen. Sie dichten, komponieren, schmieren Papier voll und streiten sich um Richtungen, das muß sein. Sie sind expressionistisch und supranaturalistisch; sie sitzen neben dicken Damen auf dem Sofa, kriegen plötzlich lyrische Kalbsaugen und sprechen mit geziertem Mündchen, sie sind feige und lassen sich verleugnen oder lügen telefonisch; sie dirigieren Symphonien und fangen einen kleinen Weltkrieg an, und sie haben für alles eine Terminologie. Welche Aufregung –! Welcher Eifer –! Welcher Trubel –! Horch: sie leben.

Da erzählen sich die Leute immer so viel von Organisation (spricht vor lauter Eile: «Orrnisation»). Ich finde das gar nicht so wunderherrlich mit der Orrnisation.

Mir erscheint vielmehr für dieses Gemache bezeichnend, daß die meisten Menschen stets zweierlei Dinge zu gleicher Zeit tun. Wenn einer mit einem spricht, unterschreibt er dabei Briefe. Wenn er Briefe unterschreibt, telefoniert er. Während er telefoniert, dirigiert er mit dem linken Fuß einen Sprit-Konzern (anders sind diese Direktiven auch nicht zu erklären). Jeder hat vierundfünfzig Ämter. «Sie glauben nicht, was ich alles zu tun habe!» – Ich glaubs auch nicht. Weil das, was sie da formell verrichten, kein Mensch wirklich tun kann. Es ist alles Fassade und dummes Zeug und eine Art Lebensspiel, so wie Kinder Kaufmannsladen spielen. Sie baden in den Formen der Technik, es macht ihnen einen Heidenspaß, das alles zu sagen; zu bedeuten hat es wenig. Sie lassen das Wort ‹betriebstechnisch› auf der Zunge zergehn, wie ihre Großeltern das Wort ‹Nachtigall›. Die paar vernünftigen Leute, die in Ruhe eine Sache nach der andern erledigen, immer nur eine zu gleicher Zeit, haben viel Erfolg. Wie ich gelesen habe, wird das vor allem in Amerika so gemacht. Bei uns haben sie einen neuen Typus erfunden: den zappelnden Nichtstuer.

Ganz Deutschland ist in Deutschland auf Flaschen gezogen.

Die Bildstreifenausschüsse zur Prüfung kulturbildender Bildstreifen haben Richtlinien herausgegeben. Danach dürfen in Filmen, die auf das Prädikat «kulturfördernd» Anspruch haben wollen, nicht mehr vorkommen:

Mädchen über 19 Jahren – Mädchen unter 19 Jahren – unverheiratete Männer (an Männern überhaupt pro Film nicht mehr als zwei) – Totengräber – Lebedamen – Arbeitslose – Frauenärzte – Embryos – öffentliche Plätze bzw. Häuser – Großaufnahmen von Gliedmaßen aller Art – Küsse (nur Elternküsse) – Betrunkene – Hungrige – Bolschewisten – Prostituierte – Richter.

Insbesondere ist das Auftreten politisch Andersdenkender grundsätzlich verboten.

Am Krankenhaus in Niederschöneweide hängt überm Eingang eine Tafel:
LASST ALLE HOFFNUNG, IHR, DIE IHR EINTRETET, FAHREN!

. . . es gibt einen kleinen Rest, außerhalb
der Erdenschwere . . .

... Denn das ist das Wesen der Religion (wie der wahren Kunst und der Philosophie) *über* den Dingen zu stehen und unbekümmert, ob ihre Ergebnisse nützlich sind oder nicht. Denn es gibt – und das ist Glaube – einen kleinen Rest, außerhalb der Erdenschwere, den man nicht fassen und erklären kann und der vermocht hat, die Menschen, wenigstens die fein empfindenden, so unglücklich zu machen: sie ahnen ganz dumpf, daß das hier nicht das Letzte und Endgültige ist, aber sie kommen nicht von der Scholle. Und ragen mit dem Kopf in die Wolken und wollen fliegen, aber die Füße wollen nicht von der Erde los. So ein Zwitterding: kein Tier, kein Gott. Von beiden etwas ...

Die Katholiken sitzen vor ihrer Hütte. Ein Heide geht vorbei und pfeift sich eins. Die Katholiken tuscheln: «Der wird sich schön wundern, wenn er mal stirbt!» Sie klopfen sich auf den Bauch ihrer Frömmigkeit, denn sie haben einen Fahrschein, der Heide aber hat keinen, und er weiß es nicht einmal. Wie hochmütig kann Demut sein!

Der Mensch hat zwei Beine und zwei Überzeugungen: eine, wenns ihm gut geht, und eine, wenns ihm schlecht geht. Die letztere heißt Religion.

Das Christentum ist eine gewaltige Macht. Daß zum Beispiel protestantische Missionare aus Asien unbekehrt wieder nach Hause kommen –: das ist eine große Leistung.

Vor Geistlichen darf man nicht Gott lästern. Vor Nationalen darf man nichts gegen das Vaterland sagen. Vor Kapitalisten nichts gegen die Nase der Börse, die tausend Nasen hat und keine ... Die Empfindungen könnten verletzt werden. Aber ich habe noch nie gehört, daß in Deutschland irgend etwas getan wird oder unterblieben ist, weil sich Pazifisten in ihren Empfindungen verletzt fühlen.

Das Christentum hat viel Gutes auf Erden bewirkt. Doch wird dies tausendfach durch das Schlimme überboten, das die christliche Idee mit der Vergiftung des Liebeslebens angerichtet hat.

Es gibt deutsche Katholiken, die zerreißen sich fast das Maul darüber, daß die Kommunisten «ihre Befehle aus Moskau entgegennehmen». Und woher bekommen jene ihre Befehle? Aus Rom. Wird jemals ein deutscher Katholik Papst?

Das Papsttum ist seit Jahrhunderten eine italienische Prärogative.

Wenn man vom Papst als vom Doktor Ratti sprechen wollte und von den Offizieren stets ohne Titel, die sie ja auch dann noch mit sich herumschleppen, wenn sie Filmdirektoren geworden sind; wenn Richter ohne Talare Recht sprechen müßten, kurz: wenn man die künstlich zur Feierlichkeit aufgeblasene Tätigkeit gewisser Leute auf den Alltag reduzierte —: das wäre bitter für die Beteiligten. Aber keine Sorge: wer keine Uniform hat, bewundert sie wenigstens.

Die Katholiken terrorisieren das Land mit einer Auffassung vom Wesen der Ehe, die die ihre ist und die uns nichts angeht.

Die katholische Anschauung sieht in der Ehe ein unlösbares, heiliges Band, keinen Zweckvertrag.

Welche Rolle spielt Ihre Kirche? Was will sie?

Sie will in erster Linie sich. Dagegen wäre nichts zu sagen, wenn nicht stets der fatale Kunstgriff angewandt würde, mit Berufung auf irrationale Größen Rationales zu verlangen.

Solange sich die Kirche damit begnügt, zu sagen: «Wir beerdigen keinen geschiedenen Mann kirchlich. Wir erkennen eine zweite Ehe nicht an – wir exkommunizieren. Wir halten den Ehebruch für eine schwere Sünde» – solange haben wir andern zu schweigen. Weil man nämlich aus der Kirche austreten kann – und wer darin bleibt, der hat sich zu unterwerfen. Das ist eine innerkatholische Angelegenheit, die keinen andern berührt.

Was an und in der Kirche «ewig und unwandelbar» ist, steht dahin – die sozialen Anschauungen gehören nicht dazu. – Der Ehebruch wird in weiten Kreisen nicht als außergewöhnlich und nicht als «unmoralisch» empfunden – womit eben *nicht* gesagt ist, daß wir ihn propagieren oder gar als schön empfinden. Aber zwischen nicht «schön» und einem Vergehen ist ein weites Feld. Das mag man kirchlich beackern – das Strafrecht hat hier nichts zu suchen.

In dem Augenblick aber, wo die Kirche sich erdreistet, uns andern ihre Sittenanschauungen aufzwingen zu wollen – unter gleichzeitiger Beschimpfung der Andersdenkenden als «Sünder» – in dem Augenblick halte ich jede politische Waffe für erlaubt – auch den Hohn.

Halten Sie es für richtig, wenn fortgesetzt eine breite Schicht des deutschen Volkes als ‹sittenlos›, ‹angefressen›, ‹lasterhaft›, ‹heidnisch› hingestellt und mit Vokabeln gebrandmarkt wird, die nur deshalb nicht treffen, weil sie einer vergangenen Zeit entlehnt sind? Nehmt ihr auf unsre Empfindungen Rücksicht? Ich zum Beispiel fühle mich verletzt, wenn ich einen katholischen Geistlichen vor Soldaten sehe, munter und frisch zum Mord hetzend, das Wort der Liebe in das Wort des Staates umfälschend – ich mag es nicht hören. Wer nimmt darauf Rücksicht?

Ein skeptischer Katholik ist mir lieber als ein gläubiger Atheist.

Katholische Kirchen sind immer geöffnet, protestantische nur sonntags. Die Geistlichen auch.

Was die Kirche nicht verhindern kann, das segnet sie.

Eine Frömmigkeit, die nur dann, verstaubt und verrostet, aus der Schublade geholt wird, wenn und weil der Träger im Dreck sitzt, ist keine. Sage mir, zu wem du betest, wenn es dir gut geht, und ich will dir sagen, wie fromm du bist.

Die christlichen Religionen gehen ja in ihrer Praxis den klaren Entscheidungen gern aus dem Wege, und aus diesem ewigen Kompromiß erwächst ihre Macht. Die Bibel ist ein radikales Buch; die Ausführungsbestimmungen mildern nachher manches.

Die Apologetik der katholischen Kirche –: das ist wie ein Luftschiff auf Rädern.

Ich mag mich nicht gern mit der Kirche auseinandersetzen; es hat ja keinen Sinn, mit einer Anschauungsweise zu diskutieren, die sich strafrechtlich hat schützen lassen.

Kampf? Soweit sich die Kirche in die Politik einmischt: schärfster Kampf. Im übrigen: schweigen und vorübergehn. Es ist auch ganz falsch, hier Milde walten zu lassen, weil man sich davon vielleicht taktische Erfolge verspricht. Die Kirche und ihre politischen Parteien, sie werden nie etwas andres tun als das, was diesem Verein nützt.

Was an der Haltung beider Landeskirchen auffällt, ist ihre heraushängende Zunge. Atemlos jappend laufen sie hinter der Zeit her, auf daß ihnen niemand entwische. «Wir auch, wir auch!», nicht mehr, wie vor Jahrhunderten: «Wir.» Sozialismus? Wir auch. Jugendbewegung? Wir auch. Sport? Wir auch. Diese Kirchen schaffen nichts, sie wandeln das von andern Geschaffene, das bei andern Entwickelte in Elemente um, die ihnen nutzbar sein können.

Kratze das Heiligenbildchen und du findest den Stimmzettel.

Das Christentum braucht nur ein Jahrtausend in seiner Geschichte zurückzublättern: im Anfang war es wohl die Güte, die diese Religion hat gebären helfen – zur Macht gebracht hat sie die Gewalt.

Wer da schreit: «Dem Volke muß die Religion erhalten bleiben», lügt; gemeint ist: «Das Volk muß der Religion erhalten bleiben». Das Volk ist ihr in großen Teilen weggelaufen.

Kein Gott der Welt schafft diese Wahrheit aus den Bezirken der Erde: «Wahres Christentum ist Pazifismus.» Der Rest ist Rabulistik und vom Staat bezahlte Professorenphilosophie.

Du sollst nicht töten! hat einer gesagt. Und die Menschheit hörts, und die Menschheit klagt.

Will das niemals anders werden? Krieg dem Kriege! Und Friede auf Erden.

Wie seine Pfaffen es fertig bringen, diese Menschenschlächterei mit dem Christentum in Einklang zu bringen? Mit dem «Du sollst nicht töten»? Mit der Bergpredigt? Wie sie es machen, daß sie auf allen Seiten da stehen und den Lieben Gott mit ihrem Kram behelligen und auf beiden Seiten beten? Das ist Tragik – aber man darf auch spotten. Nicht über IHN, aber über die Menschen.

Ich spotte über den Aberglauben – im Augenblick, wenn die Sache mit dem Glauben der anderen wirklich geistig ist, habe ich noch nie Scherze gemacht.

Christus – oder Gott – oder Buddha – oder wie man das nennt – ist ein Popanz geworden – ihr kümmert euch ja gar nicht drum; ihr stellt euer lächerliches Vaterland – und das tun alle – viel höher als alle Forderungen der Moral.

Jede Frau darf beten. Ein Mann, der betet, muß sehr dumm oder sehr weise sein.

Die Kirche hat viel Gutes getan, aber sie lastete auf allem, was da frei war und drehte das Rad der Zeit perpetuierlich zurück.

Wem Gott Verstand gibt, dem gibt er auch ein Amt.

Wenn ein Neger hinfällt, fällt er auf den Popo. Wenn ein Europäer hinfällt, fällt er auf die Religion.

Denn es gibt keine menschliche Niederträchtigkeit, die nicht einen Zusatz von Religiosität und höherer Weihe besäße, gleichsam, als ob sich die Leute doch in einer Art von Rückversicherung immer des Lieben Gottes vergewissern wollten.

Es gibt eine kommunistische Theologie, die so unleidlich zu werden beginnt, wie die der katholischen Theologen: Mißbrauch des Verstandes, um einen Glauben zu rechtfertigen.

Manchmal fröstelt die Literatur. Dann läuft ihr eine katholische Gänsehaut den Rücken herunter. Protestantische Gänsehäute aber gibt es nicht.

Schade, daß es nicht im Himmel einen Schalter gibt, bei dem man sich erkundigen kann, wie es unten nun wirklich gewesen ist.

Ein Reverend ging einmal in ein schlechtes Londoner Haus. Nach einer halben Stunde kam er wieder heraus. «Nein», sagte er, «da langweile ich mich lieber in der Kirche.»

Alles in allem: man sollte den Katholizismus studieren, bevor man ihn bekämpft, und ihn dann – dann erst – ablehnen, bis in seine tiefsten Folgerungen. Das kann man aber nur von oben, nicht von unten. Und auch nach Kenntnis dieses großen caritativen Werks Sonnenscheins ist zu sagen: mit der katholischen Metaphysik kann man respektvoll rechten, der liebe Gott bewahre uns vor ihren Konsequenzen. Mit der kirchlichen Politik niemals.

Wunder sind eine Reklame. Wunder beweisen nichts für die Richtigkeit eines ethischen Systems.

Die Kirche, die sich seit Marx mit dem Sozialismus beschäftigt wie eine Hausfrau mit Wanzenpulver, hat auch Medizin studiert und unterscheidet in ihrer medizinischen Scholastik sehr scharf. «Eine Hysterie kann nur eine Funktion hervorrufen, niemals ein krankes Organ ersetzen.»

Merk: Wer sich so mit dem Nebel des Mysteriums umgibt, wie alle diese, die es mehr oder minder begabt der katholischen Kirche nachmachen, der zeigt, daß seine Position bei voller Klarheit viel zu fürchten hat.

Ich weiß sehr wohl, daß im allgemeinen dem deutschen Publikum nicht sehr wohl ist, wenn es gegen die Übergriffe der katholischen Kirche geht. Der Katholik ist dagegen; der Protestant hat Furcht, daß das Feuer auf sein Haupt übergreife, und der Jude sagt: politische Rücksichten und meint: Angst vor dem Antisemitismus. Mit einem kämpferischen freien Geist ist es bei allen dreien nicht weit her.

Wenn einer mit seinem Leben und nun gar mit dem Leben nicht fertig wird, so wird solch ein Anblick dadurch nicht schöner, daß er sich auf die Bibel beruft.

Es unterhielten sich ein Katholik und ein Jude über religiöse Fragen. «Eins verstehe ich nicht», sagte der Katholik. «Wie kann man als gebildeter Mensch glauben, die Juden seien durch das Rote Meer gezogen?» «Sie mögen recht haben», sagte der Jude. «Wie kann man aber glauben, Jesus Christus sei nach dem Tode auferstanden?» «Das ist etwas anderes», sagte der Katholik. «Das ist wahr.»

Da wurde ein dicker Curé aus der Bretagne jüngst von einem seiner Beichtkinder vor einem recht zugänglichen Hause mit einer großen Hausnummer betroffen. «Aber Herr Curé», sagte der Gläubige, «Sie gehen in solche Häuser?» «Wie können Sie so etwas von mir denken!», erwiderte der fromme Mann. «Ich habe da nur meinen Regenschirm vergessen.»

Der Papst hat in einer Rundfunkrede als Grundübel der Gegenwart drei Dinge genannt: den Stolz, die Geldgier und die Fleischeslust. Wie wir hören, haben die Reichswehroffiziere, die auf deutschen Gütern angestellten polnischen Arbeiter und der Reichsverband deutscher Fleischermeister dagegen protestiert.

Wir Negativen

Warum quälen wir uns eigentlich mit dieser Republik herum? Regierungsrat will keiner von uns werden, und einen Orden wollen wir auch nicht – wie haben nur Kummer, Arbeit und sonst nichts davon. Gut. Aber nun auch noch von eben dieser Republik dauernd auf den Kopf zu kriegen, weil wir uns im Endeffekt schließlich gegen ihre Feinde wenden – dieses, Verehrte, fällt uns uff . . .

Immer und immer wieder raffen wir uns auf; immer und immer wieder haben wir geraten und zu helfen versucht; immer wieder, im Interesse der Sache und im Interesse der Republik, haben wir geschwiegen und da nichts gesagt, wo wir vielleicht hätten schaden können – immer und immer wieder haben wir Stange gehalten.

Wofür eigentlich –?

Es gibt einen Organismus, Mensch geheißen, und auf den kommt es an. Und ob der glücklich ist, das ist die Frage. Daß der frei ist, das ist das Ziel. Gruppen sind etwas Sekundäres – der Staat ist etwas Sekundäres. Es kommt nicht darauf an, daß der Staat lebe – es kommt darauf an, daß der Mensch lebe.

Die deutsche Revolution hat im Jahre 1918 im Saale stattgefunden. Das, was sich damals abgespielt hat, ist keine Revolution gewesen: keine geistige Vorbereitung war da, keine Führer standen sprungbereit im Dunkel; keine revolutionären Ziele sind vorhanden gewesen. Die Mutter dieser Revolution war die Sehnsucht der Soldaten, zu Weihnachten nach Hause zu kommen. Und Müdigkeit, Ekel und Müdigkeit.

Wenn Revolution nur Zusammenbruch bedeutet, dann war es eine; aber man darf nicht erwarten, daß die Trümmer anders aussehen als das alte Gebäude. Wir haben Mißerfolg gehabt und Hunger, und die Verantwortlichen sind davongelaufen. Und da stand das Volk: die alten Fahnen hatten sie ihm heruntergerissen, aber es hatte keine neue.

Wer so wenig politisches Gefühl hat, um nicht zu sehen, daß es in diesem Moment das Äußerste an verbrecherischem Wahnsinn war, einen Staat, der gerade an seinen Lastern zusammengebrochen war, mit eben diesen Lastern wiederaufzubauen, dem ist nicht zu helfen. Hinter Ebert standen wenige Tage lang Millionen von Arbeitern – er holte sich entlaufene Offiziere und baute mit denen etwas auf, was er die Ordnung nannte, und was die Arbeiter bald als Gefängnis erkannten. Hinter ihm standen wochenlang zahllose Studenten, Rechtsanwälte, selbst Beamte – er beließ die Richter und Landräte in ihren Stellungen und baute auf. Was dann begann, ist frisch in aller Erinnerung.

Die Republik will nicht einsehen, daß nur die unverhohlene Bekämpfung der alten Monarchie etwas helfen kann. Es muß eben nicht an die alten schlechten Traditionen dieser wilhelminischen Epoche angeknüpft werden, eben nicht an ihre grauenvolle Kommis-Tüchtigkeit, ihre schnoddrige Fixigkeit, ihre tiefe Verlogenheit und ihre verbrecherische Ausnutzung des Staates zu Gunsten einer kleinen Kaste.

Wir, die nie Zufriedenen, stehen da, wo die Männer stehen, die die Waffen gegen die Waffen erheben, stehen da, wo der Staat ein Moloch geheißen wird und die Priesterreligion ein Reif um die Stirnen. Und sind doch ordnungsliebender und frömmer als unsre Feinde, wollen aber, daß die Menschen glücklich sind – um ihrer selbst willen.

Wer die Freiheit nicht im Blut hat, wer nicht fühlt, was das ist: Freiheit – der wird sie nie erringen.

Die Politik ist ein Gewerbe wie jedes andre auch.

Nun kann nur Nein sagen, wer das Ja tief in sich fühlt und dieser weiß, was das ist: Demokratie.

Eingeschlagene Fenster und eingeschlagene Köpfe besagen gar nichts für einen Umsturz: aber es besagt wohl etwas, den Mut zu haben, das Alte herunterzureißen, daß es kracht und dann – dann erst! – etwas Neues aufzubauen.

Wir kämpfen allerdings mit Haß. Aber wir kämpfen aus Liebe für die Unterdrückten, die nicht immer notwendigerweise Proletarier sein müssen, und wir lieben in den Menschen den Gedanken an die Menschheit.

Im übrigen gilt ja hier derjenige, der auf den Schmutz hinweist, für viel gefährlicher als der, der den Schmutz macht.

Daran, unter anderm, ist die deutsche Revolution gescheitert; sie hatten keine Zeit, Revolution zu machen, denn sie gingen ins Geschäft.

Verärgerte Bürgerliche sind noch keine Revolutionäre.

Die Republik vergißt, daß das Leben der Menschen aus dem Alltag schöpft, und daß die meisten Ideen durch kleine, fast kaum wahrnehmbare Sinneseindrücke suggeriert werden. Ein Witz im richtigen Moment, eine Fahne an der richtigen Stelle, ein Film in der richtigen Stadt – das ist alles viel wichtiger als Parlamentsreden, die kein Mensch liest.

Sie spielen Staat. Immer noch spielen sie Staat und wollen nicht einsehen, daß sie längst Beute und Spielball einer über alle Grenzpfähle hinauslangenden Internationale von Händlern geworden sind, die Gesetze machen und anwenden lassen, wie das Geschäft es befiehlt. Immer noch nehmen sie das Spiel ernst; immer noch stellen sie sich im Viereck um die Gräber der armen Opfer einer nutzlosen Schlächterei auf, beschweren die Skelette mit geschmacklosen Mälern, blasen die jeweilige Hymne und bepredigen sich den geschwellten Gehrock. In allen diesen Totenfeiern steckt die Gutheißung des Krieges und die Reklame für einen neuen.

Welches Brimborium und welche Feierlichkeit, wenn sie einander etwas zu sagen haben! Da werden Botschafter in Bewegung gesetzt, diese Briefträger der Umständlichkeit, da gibt es Verbalnoten und schriftliche Noten und Konferenzen und ein Getue, das die braven Zeitungen schmatzend und diese scheinbaren Neuigkeiten mit Wonne schlürfend, berichten. Und man stelle sich vor, die großen Konzerne, die ja an Wichtigtuerei auch nicht grade Schlechtes leisten, gestatteten sich diese Zeitverschwendung.

Natürlich wird kein verständiger Mensch erwarten, daß sich die europäischen Staatsmänner am Telefon alles mitteilten, obgleich zum Beispiel eine telefonische Kriegserklärung («Hallo, Sie! – Von morgen ab ist Krieg») höchst reizvoll wäre. Warum telefonieren sie nicht?

Das Reich und der Staatsbegriff stehen nicht über allen Dingen dieser Welt.

Der Staat ist längst nicht mehr der große Gott und der dicke Manitou. Der Staat hat nicht mehr die Allmacht in Händen – fragt nur bei den Banken, bei denen ihr euch das Geld borgt, damit ihr weitermachen könnt.

Der Staat hat überall die Religion ersetzt, wo die zu schwach ist, die metaphysischen Bedürfnisse von Kinobesuchern zu befriedigen.

Deutsche Fürsten haben übrigens niemals mit ihrem eigenen Geld irgendeine Politik gemacht, sondern stets mit dem der andern.

Politik kann man in diesem Lande definieren als die Durchsetzung wirtschaftlicher Zwecke mit Hilfe der Gesetzgebung. Die Politik war bei uns eine Sache des Sitzfleisches, nicht des Geistes ...

Der Mensch ist ein politisches Geschöpf, das am liebsten zu Klumpen geballt sein Leben verbringt. Jeder Klumpen haßt die andern

Klumpen, weil sie die andern sind, und haßt die eignen, weil sie die eignen sind. Den letzteren Haß nennt man Patriotismus.

Deutschland ist eine anatomische Merkwürdigkeit. Es schreibt mit der Linken und tut mit der Rechten.

Nie geraten die Deutschen so außer sich, wie wenn sie zu sich kommen wollen.

Die Deutschen haben zwar nicht das Pulver erfunden, wohl aber die Philosophie des Pulvers.

Kein Resultat, kein Ziel auf dieser Erde wird nach dem logisch geführten Beweis ex argumentis gewonnen. Überall steht das Ziel, gefühlsmäßig geliebt, vorher fest, die Argumente folgen, als Entschuldigung für den Geist, als Gesellschaftsspiel für den Intellekt. Noch niemals hat einer den andern mit Gründen überzeugt. Hier steht Wille gegen Willen ...

Wie wäre es, wenn man nun einmal einen dämlichen kleinen Trick aus unsrer Politik entfernte, der darin besteht, jeder grade an der Macht befindlichen Partei vorzuwerfen, sie betreibe Parteiwirtschaft –? Ja, was soll sie denn eigentlich sonst betreiben?

Zu bekämpfen ist allein die Parteiwirtschaft, die sich nicht offen als solche bekennt, sondern die vorgibt, für das große Ganze zu arbeiten, so, wie die katholische Kirche gern ‹die Natur› vorschiebt, wenn sie ihr Dogma meint. Sagt, was ihr wollt, und sagt, was ihr tut, wenn ihr an der Macht seid. Euch dann noch Parteiwirtschaft vorzuwerfen, ist die Negierung jeder Politik.

Nichts widerstrebt einem Lande so, einem Staat so, wie: kühl und marxistisch beurteilt zu werden. Da wehrt sich alles, da bäumt sich alles auf: Romantik, Staatsraison und ein Intellektuellentum, das es gar nicht kompliziert genug haben kann; im Dunkeln ist gut munkeln.

Man darf ohne Übertreibung sagen, daß bekannte kommunistische Führer heute in Europa behandelt werden wie Sträflinge, selbst wenn sie im fremden Land nicht politisch tätig sind. Die Komödie der Paßverweigerungen, der Verhaftungen, der Ausweisungen läßt sich nicht beschreiben. In die wahnwitzige Angst schlechter Gewissen mischt sich ein Pomp, ein Pathos, eine gereckte Würde des Staats, die man diesem armseligen Popanz gar nicht zutraut, wenn man ihn nur kennt, wie er vor den Banken kuscht. Hier ist er Herr, hier darf er sein! Und er ists.

Die einen haben nichts zu essen und machen sich darüber Gedanken, das kann zur Erkenntnis ihrer Lage führen: und das ist dann Marxismus; die anderen haben zu essen und machen sich keine Gedanken darüber: und das ist dann die offizielle Religion. So verschieden ist es im menschlichen Leben!

Das ist seit Jahrhunderten das große Elend und der Jammer dieses Landes gewesen: daß man vermeint hat, der eindeutigen Kraft mit der bohrenden Geistigkeit beikommen zu können.

Man kann aber keinen politischen Kampf ohne Klarheit führen, ohne ein dogmatisch starres Programm, das doch wieder biegsam und elastisch sein muß wie bester Eisenstahl – mit Gefühlen allein kann man keine Revolution machen. Aber ohne sie auch nicht.

Die europäische Landkarte sieht aus wie ein mit Flecken besetztes Kleid; wo ein Riß ist, sitzt ein Fähnchen.

... hätte die französische Revolution nicht stattgefunden, und erfände sie einer, so wäre sie ein schlechtes Stück ... Politische Ereignisse sind nur dann erträglich, wenn sie wahr sind.

Deutsche Außenpolitik besteht ja traditionell zum größten Teil aus Schadenfreude.

In Deutschland dominiert, was die Außenpolitik angeht, der innenpolitische Stammtisch. Zu dessen ehernen Grundsätzen gehört die Phrase: «Die Augen der Welt sind auf uns gerichtet.» Dieser Satz ist einfach eine Lüge.

Nichts nimmt eine Weltanschauung so übel, wie wenn man sie mit einer andern erklären will. Der Marxist will nicht psychoanalysiert werden; der Psychoanalytiker will nicht marxistisch begrenzt werden; jeder will mit seiner Lehre den Schlüssel zum A und O in der Hand haben.

Es gibt ein Sakrileg auf der Welt: es besteht darin, den Helden einer Kategorie mit den Maßstäben einer andern zu messen, was meistens zu Lächerlichkeiten, Karikaturen, Bosheiten führt. Manchmal zur Wahrheit.

Um populär zu werden, kann man seine eigene Meinung behalten. Um populär zu bleiben, weniger.

Zwischenstaatlich organisiert sind in Europa nur das Verbrechen und der Kapitalismus.

Der Proletarier, der einen Lastwagen umschmeißt, fliegt ins Loch. Der Staatsmann, der ein Volk ins Verderben chauffiert, schreibt Memoiren. Der Lokomotivführer hat die Verantwortung. Der Staatsmann trägt sie.

Die herrschende Klasse hält sich ihre Künstler, wie man sich einen Kanarienvogel hält. Singt er, ists gut, singt er nicht, oder, was noch schlimmer ist, nicht die gewünschte Melodie: dann wird er abgeschafft.

Soziallyrik ist keine soziale Revolution.

Nichts ist so abscheulich wie der «unpolitische» Mensch. Er tut nämlich immer, als gäbe es ihn, und so schafft er unpolitische Generalanzeiger, unpolitische Magazine, unpolitische Filme, unpolitische Parteien.

Ich bin für Tendenz – feste, gib ihm.

In Deutschland sollten Gummistempel verkauft werden mit der Aufschrift:
«OBGLEICH VOM PARTEISTANDPUNKT MANCHES DAGEGEN EINZUWENDEN WÄRE.»

Es ist ein Irrtum zu glauben, daß die politische Form, unter der ein Volk lebt, die Quintessenz seines innersten Wesens ist – das ist sehr selten.
Sie ist nur der Ausdruck dafür, was es erträgt.

Man kann für eine Majorität kämpfen, die von einer tyrannischen Minorität unterdrückt wird. Man kann aber nicht einem Volk das Gegenteil von dem predigen, was es in seiner Mehrheit will (auch die Juden). Viele sind nur gegen die Methoden Hitlers, nicht gegen den Kern seiner ‹Lehre›.

Es gibt zwei Deutschland: du gehörst dem einen an und hast dich noch allemal vor dem andern gebeugt.

Wir haben das Recht, Deutschland zu hassen – weil wir es lieben. Man hat uns zu berücksichtigen, wenn man von Deutschland spricht, uns: Kommunisten, junge Sozialisten, Pazifisten, Freiheitliebende aller Grade; man hat uns mitzudenken, wenn ‹Deutschland› gedacht wird . . . wie einfach, so zu tun, als bestehe Deutschland nur aus nationalen Verbänden.
Deutschland ist ein gespaltenes Land. Ein Teil von ihm sind wir.

Das schauerlichste Wort, das uns der marxistische Slang beschert hat, ist das Wort von der ‹richtigen› Politik. Sie wissen es ganz genau.

Wenn ein Kommunist arm ist, dann sagen die Leute, er sei neidisch. Gehört er dem mittleren Bürgertum an, dann sagen die Leute, er sei ein Idiot, denn er handele gegen seine eignen Interessen. Ist er aber reich, dann sagen sie, seine Lebensführung stehe nicht mit seinen Prinzipien im Einklang. Worauf denn zu fragen wäre: Wann darf man eigentlich Kommunist sein?

Man muß diese Lehre Marxens passiert haben, man muß sie teilweise und kritisch anzuwenden verstehn. Als Religionsersatz ist sie fürchterlich.

Es ist die Aufgabe des historischen Materialismus zu zeigen, wie alles kommen muß – und wenn es nicht so kommt, zu zeigen, warum es nicht so kommen konnte.

KPD. «Schade, daß Sie nicht in der Partei sind – dann könnte man Sie jetzt ausschließen!»

So gewiß es ein schwerer Denkfehler vieler Kommunisten ist, anzunehmen, nur sie fielen nicht unter Gruppengesetze, so gewiß hat die bürgerliche Soziologie einen ebenso schweren Fehler: diese soziologischen Untersuchungen werden von Vertretern der herrschenden Klasse angestellt, es fehlt also das Gegengewicht. Die heute in Europa so moderne Freude an den «neuen Bindungen» wird stets von den Bindenden, niemals von den Gebundenen gepredigt.

Schulreform ohne Gesellschaftsreform ist ein Unding.

Das Volk versteht das meiste falsch; aber es fühlt das meiste richtig.

Ein Tyrann macht viele. Das ist ein großes Geheimnis ...

Wir wissen wohl, daß man Ideale nicht verwirklichen kann, aber wir wissen auch, daß nichts auf der Welt ohne die Flamme des Ideals geschehen ist, geändert ist, gewirkt wurde. Und – das eben scheint unsern Gegnern eine Gefahr und ist auch eine – wir glauben nicht, daß die Flamme des Ideals nur dekorativ am Sternenhimmel zu leuchten hat, sondern sie muß hienieden brennen: brennen in den Kellerwinkeln, wo die Asseln hausen, und brennen auf den Palastdächern der Reichen, brennen in den Kirchen, wo man die alten Wunder rationalistisch verrät, und brennen bei den Wechslern, die aus ihrer Bude einen Tempel gemacht haben.

Ein Land ändert sich nicht. Es wandelt sich, es nimmt andre Formen an – Grundformen bleiben.

Die deutsche Philosophie ist fast immer Flucht. Die Leute wollen die harte, die unbequeme Wahrheit nicht hören – sie nehmen sie dem Sager übel. Die Unternehmer nehmen sie übel, weil sie eine Sicherheit schwinden fühlen, die längst nicht mehr vorhanden ist – so gewaltsam trumpft nur auf, wer den Boden unter sich wanken fühlt wie diese verkleideten Faschisten; die Angestellten, weil sie Herr für Herr und Fräulein für Fräulein, ihr Schicksal wenigstens für ihre Person zu lösen glauben, wenn sie sich mit dem Chef gut stellen, wenn sie abends einen Smoking anziehen und wenn sie Sonnenblumen am Siedlungshäuschen ziehen. So gehts nicht.

Rückwärts blickend, die Arme verlangend, abwehrend, lockend und drohend in die Vergangenheit gestreckt, den Hintern der Gegenwart zugekehrt, langsam schreitend, immer rückwärts, rückwärts blickend – so geht ein Volk seine Bahn.

Eines wünsche ich uns allen: daß wir endlich vorwärts blicken.

Auf den Völkerbund schimpfen darf nur, wer gegen die absolute Souveränität der Staaten ist. Ein Rechtsgebilde über den Staaten besitzt an Macht lediglich, was ihm die einzelnen Staaten geben. Also gibt es zur Zeit gar keinen Völkerbund, und Genf ist eine Farce. Das darf aber kein Nationaler tadeln. Er ist ja damit einverstanden.

Daß sich ein Staat, der seine Grenzen durch Zollmauern schließt, nicht schämt, noch zu exportieren! Aber sie schleudern ihre Waren immer weiter an imaginäre Kunden heraus, ohne Sinn und Verstand. Rein nein – raus ja.

Die meisten Leute überlegen sich weitaus sorgfältiger, was für eine Frau sie heimführen, als welche Liste sie für den Reichstag wählen.

Wir haben hundert Dogmen der Reflexion, aber kaum eins des Handelns. Wir gleichen dem Tausendfüßler, der vor lauter Überlegung nicht mehr weiß, welches Bein er zuerst heben soll und demgemäß stehen bleibt. Macht und Geist sind zwei Faktoren, die einander heute ferner sind denn je.

Politik ist zum Gezänk geworden. Opposition zum einflußlosen Krakeelertum.

Eine der schauerlichsten Folgen der Arbeitslosigkeit ist wohl die, daß Arbeit als Gnade vergeben wird. Es ist wie im Kriege: wer die Butter hat, wird frech.

Die Welt gibt es gar nicht. Es gibt vielmehr vielerlei Welten: eine Sportwelt; eine politische Welt; eine Kunstwelt; eine Papageienliebhaberwelt; eine medizinische Welt; früher hat es auch einmal eine Halbwelt gegeben, die ist inzwischen um fünfzig Prozent aufgewertet worden ... viele Welten gibt es.

Jede Welt ist überzeugt, daß sie die eigentliche, die richtige, die Originalwelt sei.

Gegen nichts aber wehren sich alle so, wie gegen diese fatale Tatsache, daß man ihre Welt wie einen Topf hochheben kann; daß sie begrenzt ist, und daß man aussteigen kann. Ohnmächtig hallt der Exkommunikationsfluch hinter dem Aussteigenden her – er dreht sich nicht einmal um.

Wenn er klug ist, lernt er in neuer, freiwilliger Bindung, was das ist: Freiheit. Wenn er weise ist, wird er frei.

Ist jemand so reich (oder so gleichgültig), daß er das Experiment wagen kann, das Feld seiner Tätigkeit, der Gedanken und der Kämpfe zu wechseln, dann läßt er die alten Genossen hinter sich, als wären sie nie gewesen. Johanna geht, und nimmer kehrt sie wieder ... bye, bye ... auf Wiedersehn! Auf Nimmerwiedersehn.

Daß man aussteigen kann ... Daß man es kann ... Und dann die Stille und die Abgeschiedenheit ... und dann nichts mehr ... Was muß das für eine Welt gewesen sein? Und dann erst erkennt der Geschiedene:

Deine alte Welt hat nicht die ganze Welt erfaßt. Es ist eine Teilwelt gewesen. Es gibt Hunderttausende und Millionen, die ahnen kaum etwas von ihr, und sie leben auch und sind glücklich und unglücklich und lieben und hassen und werben und gehen dahin – ohne etwas von deinem Kram gewußt zu haben, mit dem du dich so intensiv befaßt hast.

Es ist durchaus nicht allen gemeinsam und selbstverständlich, daß das Vaterland das Höchste ist, woran sich anzuschließen Pflicht und Gewinn sei – sondern das ist sehr bestritten.

Es ist durchaus nicht allen gemeinsam, daß die Familie der Endpunkt der Entwicklung und etwas Selbstverständliches sei – das ist sehr bestritten.

Es ist durchaus nicht selbstverständlich, daß der Kapitalismus notwendig oder gar nutzbringend sei – das ist sehr bestritten.

Sie reden verschiedene Sprachen, die babylonischen Menschen, und sie verstehen einander nicht. Sie sprechen aneinander vorbei.

Nicht mehr Asien und noch nicht Amerika – nie mehr Asien und wahrscheinlich nie Amerika, belastet mit Gemüt und unbeschwert von Seele, nicht niedergefahren zur Hölle, nicht wieder auferstanden, taumelnd und bewegungslos, ewig brüllend und nichts sagend, dumpf, aber nie schweigend, stagnierend, aber nicht wachsend – so geht dieser Erdteil seinem Schicksal entgegen.

... Und wenn alles vorüber ist –; wenn sich das alles totgelaufen hat: der Hordenwahnsinn, die Wonne, in Massen aufzutreten, in

Massen zu brüllen und in Gruppen Fahnen zu schwenken, wenn diese Zeitkrankheit vergangen ist, die die niedrigen Eigenschaften des Menschen zu guten umlügt; wenn die Leute zwar nicht klüger, aber müde geworden sind; wenn alle Kämpfe um den Faschismus ausgekämpft und wenn die letzten freiheitlichen Emigranten dahingeschieden sind –: dann wird es eines Tages wieder sehr modern werden, liberal zu sein.

Und dann wird sich das auswirken, und hunderttausend schwarzer, brauner und roter Hemden werden in die Ecke fliegen und auf den Misthaufen. Und die Leute werden wieder Mut zu sich selber bekommen, ohne Mehrheitsbeschlüsse und ohne Angst vor dem Staat, vor dem sie gekuscht hatten wie geprügelte Hunde. Und das wird dann so gehen, bis eines Tages ...

Finish

Es tickt die Uhr, Dein Grab hat Zeit,
drei Meter lang, ein Meter breit.
   Du siehst noch drei, vier fremde Städte,
   du siehst noch eine nackte Grete,
      noch zwanzig-, dreißigmal den Schnee –
      Und dann:
         Feld P – in Weißensee –
         in Weißensee.

Man achte immer auf Qualität. Ein Sarg zum Beispiel muß fürs Leben halten.

Der Mensch möchte nicht gern sterben, weil er nicht weiß, was dann kommt. Bildet er sich ein, es zu wissen, dann möchte er es auch nicht gern; weil er das Alte noch ein wenig mitmachen will. Ein wenig heißt hier: ewig.

Der Pessimist. «Ich werde also eines Tages sterben. Natürlich – das kann auch nur mir passieren!»

Fräulein Ullmann las die Familiennachrichten ihrer Zeitung. Mit einem Ruck schloß sie das Blatt. «Wieder kein Bekannter tot!» sagte sie.

Sachte! Sachte!
Warum denn so furchtbar uffjerecht?
Wir wern mal alle inn Kasten gelecht.

Wenn eena dot is, brummts in dir:
Nu is a wech. Wat soll ickn denn noch hier?
Man keene Bange,
det denkste nämlich jahnich lange;
ne kleine Sseit,
denn is soweit:

Denn lebst du wieda wie nach Noten!
Keener wandert schneller wie die Toten.

Zweiundsiebzig Jahre auf der Erde, das bedeutet: neunundsechzig
Jahre lang gelogen, Empfindungen versteckt, geheuchelt; gegrinst,
statt zu beißen; geschimpft, wo man geliebt hat ... Manchmal däm-
mert eine Ahnung auf, das vielleicht doch lieber zu unterlassen. ‹Gewissen› sagen die Kultusbeamten.

Vielleicht ist es deshalb so schwer, zu sterben, weil niemand einen
letzten Tag ertragen kann. Er ist aber gar nicht so schwer zu ertragen. Wenn es am besten schmeckt, soll man aufhören. Was dann
kommt...

Horizontal sieht alles anders aus,
Tote haben immer recht.

Jeder Herzschlag klopft dem Grabe zu. Weiter und weiter – unauf-
haltsam. In mir wächst der Tod.

Mit dem Tode ist alles aus. Auch der Tod –?

Dies ist die wahrste aller Demokratien, die Demokratie des Todes.

Da, wo sich die Parallelen
schneiden, fliege ich dann hin.
Ach, ich werde mir doch mächtig fehlen,
wenn ich einst gestorben bin.
     Andern auch –? Wer seine Augen aufmacht, sieht:
     Sterben ist, wie wenn man einen Löffel aus dem
                                        Kleister zieht.

«Gibt es das: Sehnsucht nach dem Tode –?»
     «Nein», sagte er. «Nein: nicht Sehnsucht nach dem Tode. Nur:

Müdigkeit. Da liegen nun sechsunddreißig Kalender auf dem Tisch, jeder mit Neujahr, Hundstagen und Silvester, und das muß alles noch gelebt werden – welche Aufgabe!»

Wenn die Flammen züngeln, werden sie nachdenklich ... Wenn das Meer rauscht, werden sie nachdenklich ... Dann steht die Zeit still, und die Urmelodie wird hörbar: das Leid.

Es ist optimistische Todesahnung, eine fröhliche Erkenntnis des Endes.

Wenn ich jetzt sterben müßte, würde ich sagen: «Das war alles?» – Und: «Ich habe es nicht so richtig verstanden.» Und: «Es war ein bißchen laut.»

Es war ein alter Friedhof; man sah das an den verwitterten, ein wenig zerfallenen Gräbern ... Es war ganz still; wir waren die einzigen, die die Toten heute nachmittag besuchten – die wen besuchten? Man besucht ja nur sich selber, wenn man zu den Toten geht.

Eine Treppe

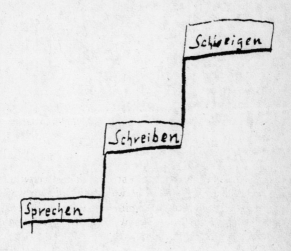

C 143/30a

Kleine Nachttischbändchen

Truman Capote
Frühstück bei Tiffany
Silhouette eines Mädchens
180 Seiten. Gebunden

Graham Greene
Heirate nie in Monte Carlo
Ein Flitterwochen-Roman
170 Seiten. Gebunden

Elsa Sophia von Kamphoevener
Liebeslist
Drei alttürkische Erzählungen
120 Seiten. Gebunden

Kurt Kusenberg
Lob des Bettes
Eine klinophile Anthologie. Mit vielen
Bettgeschichten und schönen
Bettgedichten
240 Seiten. Gebunden

Manfred Kyber
**Ambrosius Dauerspeck und
Mariechen Knusperkorn**
Unter Tieren mit Manfred Kyber
160 Seiten. Gebunden
**Das patentierte Krokodil
und andere Tiergeschichten**
117 Seiten. Gebunden

Raymond Peynet
Mit den Augen der Liebe
Ein Bilderbuch für zärtliche Leute
192 Seiten. Gebunden
Sprache des Herzens
Ein Bilderbuch für Empfindsame
120 Seiten. Gebunden
Zärtliche Welt
Ein Bilderbuch für Liebende und
andere Optimisten
180 Seiten. Gebunden

C 2148/1

Kleine Nachttischbändchen

James Thurber
Der Hund, der die Leute biß und andere Geschichten für Freunde bellender Vierbeiner
160 Seiten. Gebunden
75 Fabeln für Zeitgenossen
Den unverbesserlichen Sündern gewidmet
208 Seiten. Gebunden
Zehn goldene Regeln für das Zusammenleben mit 100 warnenden Beispielen
120 Seiten. Gebunden

E. O. Plauen
Vater und Sohn
128 Seiten. Gebunden

Gregor von Rezzori
Die schönsten maghrebinischen Geschichten
180 Seiten. Gebunden

Kurt Tucholsky
Wo kommen die Löcher im Käse her?
Glossen und Grotesken
157 Seiten. Gebunden
Rheinsberg
Ein Bilderbuch für Verliebte
180 Seiten. Gebunden
Schloß Gripsholm
Eine Sommergeschichte
240 Seiten. Gebunden
Wenn die Igel in der Abendstunde
Gedichte, Lieder und Chansons
200 Seiten. Gebunden

C 2148/1a

Hans Fallada

ro
ro
ro

C 46/21

Hans Fallada

ro
ro
ro

C 46/21-21a